Cuentos para descubrir inteligencias

Cuentos para descubrir inteligencias

Begoña Ibarrola
Ilustraciones de Anne Decis

Primera edición: junio de 2102
Segunda edición, revisada: enero de 2014

Proyecto editorial: María Castillo
Coordinación editorial: Teresa Tellechea

© Del texto: Begoña Ibarrola, 2012
© De las ilustraciones: Anne Decis, 2012
© Ediciones SM, 2012
   Impresores, 2
   Urbanización Prado del Espino
   28660 Boadilla del Monte (Madrid)
   www.grupo-sm.com

ATENCIÓN AL CLIENTE
Tel: 902 121 323
Fax: 902 241 222
e-mail: clientes@grupo-sm.com

ISBN: 978-84-675-5424-3
Depósito legal: M-16.385-2012
Impreso en la UE / *Printed in EU*

A todas aquellas personas
que no han sido valoradas como inteligentes

Nuestro mundo está lleno de problemas; para disponer de alguna posibilidad de resolverlos, debemos hacer el mejor uso posible de las inteligencias que poseemos. Tal vez reconocer la pluralidad de inteligencias y las múltiples maneras en que los humanos podemos manifestarlas, sea un primer paso importante.

Howard Gardner

NOTA DE LA AUTORA

Todos los padres pensáis que vuestros hijos son inteligentes y, seguramente, cada uno tenga una concepción muy distinta de lo que ello significa. Los educadores también pensáis que en el aula hay alumnos más y menos inteligentes.

Durante décadas, el modelo de inteligencia se ha medido a través de diferentes tests que evaluaban las habilidades numéricas, verbales y espaciales y cuyo resultado era un número, el CI o cociente intelectual. Esto resultó de mucha utilidad para clasificar a los individuos con vistas a predecir su rendimiento en ciertas actividades, pero hoy sabemos que parte de una visión muy limitada de inteligencia, que no tenía en cuenta el papel que juegan las emociones en los procesos mentales ni otras habilidades tanto o más importantes para tener éxito en la vida y ser feliz.

Por fortuna, el concepto de "persona inteligente" está cambiando en nuestros días gracias a las investigaciones realizadas por Howard Gardner y a los descubrimientos de la neurociencia.

Howard Gardner nació en 1943 en Pennsylvania y estudió psicología en la Universidad de Harvard. Es profesor de psicología en la Universidad de Harvard y de neurología en la de Boston y presidente del comité gestor del Project Zero. Está en posesión de una veintena de distinciones *honoris causa* y recientemente ha recibido el premio Príncipe de Asturias 2011 de Ciencias Sociales.

Sus líneas de investigación durante más de veinte años se han centrado en el análisis de las capacidades cognitivas en menores y adultos, a partir de las cuales formula la teoría de las inteligencias múltiples (*Frames of Mind*, 1983), que habla de una noción no cognitiva de la inteligencia, referida a las habilidades de manejo emocional, personal y social, paralelas a las habilidades cognitivas conocidas. Gracias a sus descubrimientos, ahora ya no es tan importante saber cuánta es la inteligencia de una persona, sino cómo es de inteligente, dando por hecho que todos lo somos.

Gardner define la inteligencia como "un potencial biopsicológico para procesar información que se puede activar en un marco cultural para resolver problemas o crear productos que tienen valor para una cultura". Inicialmente propuso la existencia de siete inteligencias: lingüística, lógico-matemática, viso-espacial, musical, corporal-cinestésica, intrapersonal e interpersonal. Más adelante añadió otras dos, la naturalista y la existencial, y en el año 2011 ha reconocido la existencia de una décima, la inteligencia pedagógica.

Aunque en este libro no se va tratar, ya que no forma parte de las inteligencias múltiples de Gardner, quiero mencionar la inteligencia emocional. Una buena inteligencia emocional es el resultado del buen desarrollo de las inteligencias interpersonal e intrapersonal. "La inteligencia emocional comprende la habilidad de supervisar y entender las emociones propias así como las de los demás, discriminar entre ellas y utilizar esta información para guiar nuestro pensamiento y nuestras acciones" (Salovey y Mayer, 1990).

Estas inteligencias se pueden dar en distinta intensidad y con diferencias en la manera de recurrir a ellas y de combinarlas para llevar a cabo determinadas tareas, pero todas pueden ser estimuladas. Por eso es importante ayudar a los niños a descubrirlas y, sobre todo, a valorarlas por igual.

Los niños nacen con diferentes potencialidades marcadas por la genética, pero se van a desarrollar de una manera o de otra en función de su estimulación, del entorno, la familia, sus experiencias, la educación, su capacidad de esfuerzo...

En este libro vais a encontrar información sobre cada una de las inteligencias, cuentos y propuestas de actividades prácticas recogidas en fichas orientadas a favorecer el desarrollo de cada una de ellas. Espero que los cuentos, además de divertir y entretener, ayuden a cada niño a descubrir sus inteligencias concretas mediante la identificación con algunos de los personajes que van apareciendo, niños que se divierten juntos y se enfrentan a problemas, mientras aprenden a convivir y a respetar su gran diversidad.

Todos somos inteligentes y ninguna inteligencia es buena o mala en sí misma, pues todas ellas se pueden emplear de manera constructiva o destructiva. Decidir cómo hacer uso de ellas es, según Gardner, una cuestión de valores, no de mera capacidad. Por eso vosotros, padres y educadores, tenéis la tarea y la responsabilidad de ayudar a cada niño a desarrollar sus inteligencias y a usarlas de forma positiva para hacer del mundo un lugar mejor.

Begoña Ibarrola

Inteligencias múltiples

INTELIGENCIA LÓGICO-MATEMÁTICA Es la capacidad para usar
los números de manera efectiva y para razonar adecuadamente. Incluye la sensibilidad
a los esquemas y relaciones lógicas, las afirmaciones y las proposiciones, las funciones
y otras abstracciones relacionadas. Involucra la capacidad de moverse con comodidad
por el mundo de los números y sus combinaciones, experimentar, preguntar
y resolver problemas lógicos, explorar, pensar y emplear materiales y objetos
para su manipulación.

INTELIGENCIA LINGÜÍSTICA Es la capacidad de manejar y estructurar
los significados y las funciones de las palabras con el fin de comunicarse y expresar
el propio pensamiento y dar un sentido al mundo mediante el lenguaje.
Está involucrada en la lectura y escritura, así como en el escuchar y hablar.
Comprende la sensibilidad para los sonidos y las palabras con sus matices
de significado, su ritmo y sus pausas.

INTELIGENCIA MUSICAL Es la capacidad de reconocer, apreciar, discriminar,
transformar y expresar las formas musicales. Incluye la sensibilidad al ritmo, al tono
y al timbre. Desde un punto de vista más general, incluye la capacidad de captar
la estructura de las obras musicales. Estas habilidades permiten comunicar,
comprender y crear a través de los significados de los sonidos.

INTELIGENCIA ESPACIAL Es la capacidad para formar en la mente
representaciones espaciales y operar con ellas con fines diversos. Permite percibir
imágenes externas e internas, recrearlas, transformarlas o modificarlas, recorrer
el espacio o hacer que los objetos lo recorran y producir o decodificar información
gráfica. También permite crear modelos del entorno viso-espacial y efectuar
transformaciones a partir de él, incluso en ausencia de estímulos concretos.

INTELIGENCIA CORPORAL-CINESTÉSICA Es la capacidad para utilizar el propio cuerpo, ya sea total o parcialmente, en la solución de problemas, en la interpretación o en la creación de productos, en la expresión de ideas y sentimientos. Puede ser descrita como una inteligencia tecnológica. Incluye habilidades de coordinación, destreza, equilibrio, flexibilidad, fuerza y velocidad, así como la capacidad cenestésica, la percepción de medidas y volúmenes y la manipulación de objeto.

INTELIGENCIA INTRAPERSONAL Es la capacidad para comprenderse a sí mismo, acceder con facilidad a la propia vida emocional, reconociendo las propias emociones y sentimientos. Implica tener claridad sobre las razones que llevan a reaccionar de un modo u otro y comportarse de una manera que resulte adecuada a las necesidades, metas y habilidades personales. Permite el acceso al mundo interior, para luego aprovechar la información que aporta y a la vez orientar la experiencia.

INTELIGENCIA INTERPERSONAL Es la capacidad para entender a los demás y actuar en situaciones sociales, para percibir y discriminar estados de ánimo, emociones, motivaciones o intenciones. Incluye la sensibilidad a expresiones faciales, al tono de voz, los gestos y posturas, y la habilidad para responder a ellos de forma adecuada, lo que supone tener empatía.

INTELIGENCIA NATURALISTA Es la capacidad de distinguir, clasificar y utilizar elementos del medio ambiente, de la flora y la fauna. Permite reconocer y clasificar las diferentes especies distinguiendo las que son valiosas o peligrosas, y a categorizar organismos nuevos o poco familiares. Incluye las habilidades de observación, experimentación, reflexión y cuestionamiento de nuestro entorno.

INTELIGENCIA EXISTENCIAL Es la capacidad de situarse uno mismo en relación con las facetas más extremas del cosmos –lo infinito y lo infinitesimal– y la capacidad de situarse en relación con determinadas características existenciales de la condición humana, como el significado de la vida y de la muerte, el destino final del mundo físico y el mundo psicológico, y ciertas experiencias como sentir un profundo amor o quedarse absorto ante una obra de arte.

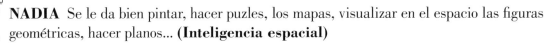

ESCUELA DE LA TIERRA

KEIKO Es japonesa. Se le da bien aprender diferentes idiomas, hablar, hacer trabalenguas, contar chistes, leer. **(Inteligencia lingüística)**

NADIA Se le da bien pintar, hacer puzles, los mapas, visualizar en el espacio las figuras geométricas, hacer planos... **(Inteligencia espacial)**

LUCÍA Se le da bien hacer preguntas interesantes y profundas, le gusta estar en silencio, meditar o mirar las estrellas. **(Inteligencia existencial)**

LINDA Se le da bien tratar con los demás, tiene muchos amigos, trabaja en equipo, negocia, resuelve conflictos y es una líder nata. **(Inteligencia interpersonal)**

NACHO Reflexiona mucho, piensa las cosas bien, hace preguntas profundas, da buenos consejos, tiene mucha imaginación, está un poco en las nubes. **(Inteligencia intrapersonal)**

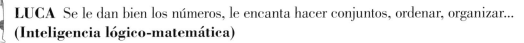

LUCA Se le dan bien los números, le encanta hacer conjuntos, ordenar, organizar... **(Inteligencia lógico-matemática)**

KAMAL Es africano. Se le da bien cantar, tocar instrumentos, escuchar pájaros o voces de animales y diferenciarlos. Se aprende con facilidad las canciones. **(Inteligencia musical)**

BAO Es chino. Se le dan bien los deportes, correr, saltar, hacer mimo, teatro, manipular materiales o piezas pequeñas. **(Inteligencia cinestésica-corporal)**

TOMI Le encanta descubrir animales, plantas, los bosques, los mares, se sabe de memoria el nombre de animales y plantas. **(Inteligencia natural)**

ESCUELA DE PEGASUS

VEGA Se le da bien cantar, tocar instrumentos, escuchar pájaros o voces de animales y diferenciarlos. Aprende con facilidad canciones. **(Inteligencia musical)**

LIRA Se le da bien contar, le encanta hacer conjuntos, ordenar, organizar... **(Inteligencia lógico-matemática)**

LUNA Reflexiona mucho, piensa las cosas bien, hace preguntas profundas, da buenos consejos, tiene mucha imaginación y está un poco en las nubes. **(Inteligencia intrapersonal)**

NAGA Le encanta descubrir animales, plantas, los bosques, mares, nubes, se sabe de memoria el nombre de animales y plantas. **(Inteligencia naturalista)**

ANTALA Se le dan bien los deportes, correr, saltar, hacer mimo, teatro, manipular materiales o piezas pequeñas. **(Inteligencia cinestésica-corporal)**

FÉNIX Se le da bien aprender diferentes idiomas, hablar, hacer trabalenguas, contar chistes y negociar. **(Inteligencia lingüística)**

ARTUR Se le da bien tratar con los demás, tiene muchos amigos, trabaja en equipo, negocia, resuelve conflictos. Buen líder. **(Inteligencia interpersonal)**

SIRIO Se le da bien pintar, hacer puzles, los mapas, visualizar en el espacio las figuras geométricas, planos... **(Inteligencia espacial)**

KANTOR Se le da bien hacer preguntas interesantes y profundas, le gusta estar en silencio y meditar o escuchar a las estrellas. **(Inteligencia existencial)**

❧ Comienza la aventura ❧

La clase estaba revuelta.
Se acercaba el momento
que habían estado esperando todo
el curso, y ahora sentían un hormigueo
en el estómago mientras preparaban sus mochilas
sin parar de hablar.

–Ray, ¿estás seguro de que va a salir bien? Yo estoy muy nervioso y a lo mejor me mareo.

–No te preocupes, Nacho. Relájate y disfruta del viaje.

–¿Y si no se parecen a nosotros y nos asustan, Ray?

–Tranquila, Lucía; aunque sean muy diferentes, ya estamos preparados. ¿No recuerdas la clase sobre las diferentes razas del universo conocido?

–Pues yo creo que no es una buena idea: es un viaje para los mayores y nosotros todavía somos pequeños –dijo Kamal, muy serio.

–¡Ah! ¿Eso crees? ¿Y por qué el otro día decías que ya eras mayor y podías decidir lo que ibas a comer?

Linda se acercó a él y, poniéndole la mano sobre el hombro, le dijo como si fuera su hermana mayor:

–Kamal, yo estaré a tu lado, ya sabes que soy tu amiga.

A Ray le gustó su gesto de apoyo, pero, por un momento, dudó.

¿Estarían sus aprendices preparados para esta experiencia?
Los miraba a todos y a cada uno sonriendo; en verdad estaba
orgulloso de ellos, de sus ganas de aprender y, sobre todo,
de su gran curiosidad.

Cuando el centro de aprendizaje aprobó su proyecto, fue una
buena noticia para él, teniendo en cuenta que su asignatura era
"Conocimiento del Universo", y decidieron viajar cuando terminara
el curso al planeta Pegasus, para un encuentro de aprendices.

–Bueno, ¿estáis preparados? ¿No olvidáis nada importante?
Ya sabéis que a partir del momento en que entremos en la sala
de embarque, no podréis salir. El viaje durará dos "trinos",
así que revisad por última vez vuestras mochilas y ¡en marcha!

Aquellas mochilas solo se utilizaban para ese tipo de viajes
interplanetarios. Eran muy ligeras y se adaptaban perfectamente
al cuerpo, de modo que parecían una parte más del traje
de explorador. En su interior, en un solo aparato que se colocaba
en la muñeca, había todo lo que el aprendiz podía necesitar:
un comunicador, reloj interplanetario, traductor de todos los idiomas
conocidos y pulsómetro. Además llevaban unas gafas antirradiación,
cuaderno de bitácora digital y comida encapsulada. Los aprendices
habían añadido algunas chucherías para regalar a sus nuevos
amigos. Si había una cosa que a todos los niños de todos los planetas
les encantaba, eran los caramelos de diferentes formas y colores,
estrellas, canicas, flores, incluso lombrices de gelatina con sabor
a fresa, menta, violeta o mandarina.

Al cabo de un rato llegaron a la sala de embarque más cercana
a su centro, donde una pequeña nave los estaba esperando.

–¿Preparados para comenzar el viaje? –preguntó.

–¡Espera, Ray! ¿No se nos olvida algo?

–¡Por Dios, Linda! A ver... ¿Qué se te ha olvidado? No podemos retrasarnos más...

–Paula y tú nos dijisteis que debíamos cuidar de Suan, que era nuestra responsabilidad, así que no podemos dejarle aquí solo, ¿no crees?

Los aprendices le rodearon, suplicantes.

–¡Sí, Ray, por favor, deja que Suan venga con nosotros!

Ray movió la cabeza sin saber muy bien qué hacer. Lo que decía Linda era cierto, pero nunca un perro había acompañado a los aprendices en un viaje interplanetario; sin embargo, después de pensarlo unos segundos, contestó:

–Está bien. Linda, Tomi, id a por él, pero volved lo más rápido que podáis.

Los dos echaron a correr hacia su aula y pronto volvieron seguidos a la carrera por Suan, la mascota de la clase.

Ray pulsó el botón y la puerta de la nave se abrió. Uno a uno y en completo silencio, entraron y se sentaron en los sillones metálicos que estaban pegados a la pared, y al instante sus cuerpos quedaron bien sujetos por unos cinturones mientras bajaba la intensidad de la luz.

La voz de Ray sonó potente:

–¡Ordenador! Ponga rumbo al destino señalado.

Los aprendices se habían puesto ya sus gafas y permanecían en silencio esperando con ansiedad lo que Ray ya les había contado: que verían una luz muy brillante, después tendrían una sensación de vértigo, como si cayeran por un tobogán, y por último un intenso hormigueo en su cabeza. Solo eso. En dos "trinos", llegarían a su destino. Suan permanecía también quieto y en silencio, sujeto al cinturón de Tomi, mirando con curiosidad a un lado y a otro.

De pronto, la sala se inundó de una extraña luz violeta y, en un abrir y cerrar de ojos, todo a su alrededor cambió. No hubo gritos, nadie se movió, tal y como habían ensayado en la clase. Aquellos aprendices estaban bien preparados y Ray se sintió orgulloso de ellos.

Sabía que el tiempo de viaje les parecería corto aunque iban a recorrer una distancia enorme en el espacio, pero los viajes espaciales habían avanzado mucho, reduciendo cada vez más los tiempos de desplazamiento interplanetarios.

Y cuando la señal que indicaba el final del viaje se iluminó, Ray dijo:

—Bueno, ya hemos llegado. Podéis quitaros las gafas. Pulsad el botón que hay en vuestro asiento para que se desactiven los cinturones de seguridad.

Uno a uno abandonaron la nave, y al salir se dieron cuenta de que habían aterrizado junto a un bosque de árboles enormes y de vistosos colores, muy diferentes a los de la Tierra. Estaban en el planeta Pegasus.

Mientras los miraban, sorprendidos, oyeron una voz familiar:

—¡Bienvenidos a Pegasus, queridos aprendices!

Era la voz de Paula, su tutora, y corrieron a su encuentro muy contentos.

—¡Qué sorpresa, Paula! —dijo Linda—. No sabíamos que estabas aquí.

—He viajado antes que vosotros para prepararlo todo, y os aseguro que este lugar os va a gustar muchísimo. Bueno, ahora decidme, ¿qué tal el viaje? ¿Habéis sentido algo raro?

—Yo no he sentido nada más que un poco de vértigo, igual que cuando me subí a la montaña rusa —dijo Bao.

—Pues yo he tenido un poco de miedo, pero ahora ya estoy bien —dijo Nadia.

—¡Ha sido una pasada! ¡Solo en dos "trinos" estamos en otro planeta! —dijo Luca, entusiasmado.

—¡Ha sido emocionante, Paula, y no me he mareado! —añadió Nacho.

De repente, unos ladridos le obligaron a mirar al suelo.

—¿Pero cómo se os ha ocurrido traer a Suan? Creo que aquí no esperaban a un perro. Confío en que no los asuste.

—Ray nos dio permiso; somos responsables de él y no podíamos dejarlo solo —dijo Tomi.

Paula miró a Ray y suspiró sin decir nada; no le gustaban las sorpresas, pero debía respetar su decisión.

Y como Ray quería cambiar de tema, les dijo:

—Bueno, aprendices, ahora debemos caminar un poco hasta llegar al lugar donde nos están esperando, la ciudad de Olaris. ¿Alguna cosa más, Paula? —preguntó Ray.

—Sí, debo deciros algo: vuestros compañeros de Pegasus son niños muy diferentes a vosotros, así que estad atentos a la cara que ponéis al verlos: son muy sensibles y, si notan que os asustan, pueden sentirse mal.

En un minuto se formó una fila de exploradores, pero esta vez, al contrario de lo que sucedía cualquier día en clase, nadie quería ser el primero. Al final, Tomi, el más aventurero de todos, se puso en cabeza del grupo, detrás de Paula y Ray.

Una luz rosada en el cielo era la señal de que el día comenzaba, aunque aquellos colores más se parecían a un atardecer en la Tierra. Esa era una de las novedades a las que tendrían que acostumbrarse.

Tras una breve caminata, salieron del bosque y entonces se encontraron con una magnífica vista: ante ellos se extendía la ciudad de Olaris, en un valle precioso, rodeada de montañas. Las casas tenían forma de media naranja, como pequeños iglúes que en la distancia parecían iguales excepto uno que estaba justo en el medio. Paula, señalándolo, dijo:

—Ese es el centro de aprendizaje. Allí nos esperan con mucha ilusión, así que ahora vamos a bajar sin detenernos; ya tendremos tiempo de conocer este lugar.

El grupo de aprendices inició el descenso charlando animadamente, y a medida que se acercaban a las casas pudieron comprobar que no eran tan pequeñas como parecían desde lejos. Los techos eran de un material muy brillante y dorado.

—Ray, ¡mira! Las cúpulas tienen hexágonos parecidos a los paneles de las abejas —gritó Nadia.

—Claro, pienso que utilizan los tejados para captar energía —añadió Luca—. ¿Es así, Paula?

—Pues sí, ellos solo utilizan la energía de su sol, que, si lo miráis bien, es bastante diferente al nuestro.

Los aprendices miraron hacia arriba y se dieron cuenta de que la luz rosada que despedía calentaba ligeramente, sin ser molesta.

Después de atravesar varias plazas con hermosas fuentes en el centro, llegaron a un edificio enorme que relucía bajo el sol y brillaba como si fuera un diamante.

"¡Qué bonito! Tendré que dibujarlo en cuanto pueda", pensaba Nadia.

¿Estarían esperándolos allí dentro los aprendices de Pegasus? ¿Y cómo serían? Aún no habían visto a nadie por las calles y no sabían cuál era su aspecto. Aquella parecía una ciudad desierta, aunque no podían sospechar con qué curiosidad los miraban desde detrás de las ventanas.

—Bueno, ha llegado el momento, aprendices: recordad lo que os he dicho: ninguna señal de miedo en vuestras caras, ¿de acuerdo?

—De acuerdo —respondieron todos en voz tan baja que casi no se oyó.

La puerta circular se abrió y por ella apareció una figura alta y delgada. Tenía el rostro ovalado, sus ojos eran grandes y no se podía determinar bien su color —parecían de un verde oscuro—, su boca era muy pequeña y su piel tenía un tono azulado. Iba vestido con un mono azul oscuro y una capa larga naranja. Parecía mayor, pues su pelo era completamente blanco; sin embargo, su rostro era muy jovial, y también su voz cuando les dijo:

—Os doy la bienvenida a Pegasus, queridos aprendices. Espero que os sintáis como en casa, aunque ya sé que en la Tierra es todo muy diferente. ¿Qué tal ha ido el viaje? —le preguntó a Paula.

–Muy bien, Kumara; según me han dicho, casi no se han enterado.

–Bueno, ahora me voy a presentar: soy Kumara, el mentor general de los centros de aprendizaje. Os voy a presentar a Telma, magister en civilizaciones. Ella será la encargada de enseñaros Olaris. Entre los dos vamos a procurar que este viaje os resulte inolvidable.

A continuación, otra persona apareció en la puerta. Los aprendices se quedaron con la boca abierta y dijeron en voz baja:

–¡Aaaaaah! ¡Qué guaapaa!

Telma sonrió. Su piel tenía un color verde claro y su rostro era muy diferente a los que ellos conocían, pero, aun así, no podían dejar de admirar su belleza. Sus ojos eran oscuros, casi negros, y su melena, rosada. Era tan alta como Kumara y vestía un mono blanco cubierto por una capa larga de color verde.

–Gracias, aprendices. Sabíamos que nuestro aspecto os iba a sorprender, pero veo que no os damos miedo, y eso es muy importante. Vamos a ser compañeros de aventuras durante unos días y tendremos tiempo para conocernos mejor, pero imagino que estaréis deseando conocer a vuestros compañeros, ¿no es así?

–¡Síiiii! –gritaron a una.

Telma y Kumara se alejaron de la puerta y, uno a uno, los aprendices de Pegasus fueron saliendo. Eran muy delgados y un poco más altos que ellos y vestían monos de diferentes colores brillantes. Parecían un poco tímidos, o quizás no querían asustarlos; por eso no los miraban a los ojos. Unos tenían la tez de color rosado; otros, más azulada; otros, verde claro, y otros, violeta.

Los aprendices de la Tierra se acercaron a ellos y Ray los fue presentando uno a uno, diciendo sus nombres y alguna de sus aficiones.

Minutos después, Kumara tomó la palabra y dijo:

—Ahora se van a presentar vuestros compañeros.

Cada uno dijo su nombre y añadió algún comentario sobre las cosas que más le gustaban, mientras saludaban poniendo su mano izquierda sobre el corazón.

Al terminar las presentaciones, Paula le preguntó a Ray:

—¿Dónde se ha metido Suan?

A Ray no le dio tiempo a contestar, pues en ese momento Suan se acercó a ellos corriendo y ladrando, un poco asustado al ver tanta gente desconocida. Paula le cogió en brazos y dijo:

—Os pedimos disculpas; no sabemos si nuestra mascota es bienvenida a este planeta. Os aseguro que no dará ningún problema.

—Bueno, será una experiencia divertida para todos. Aquí no hay perros, aunque han estudiado vuestra fauna y saben algo de ellos.

La llegada de Suan causó una gran sensación entre los aprendices de Pegasus, que lo miraban y daban vueltas a su alrededor sin atreverse a tocarlo.

Linda lo cogió en brazos y le dijo a Fénix:

—Si quieres puedes acariciarlo, le gusta mucho.

Fénix extendió su mano, un poco temeroso, y acaricio su cabeza mientras Naga se acercaba a él diciendo:

—¡Déjame cogerlo a mí! Me encantan los animales...

Paula, Ray, Telma y Kumara los dejaron solos durante un rato para que se fueran conociendo.

—Bueno, pensamos que es mejor organizar ya el alojamiento —dijo Telma—. Para nosotros será un placer atenderos en nuestras respectivas casas; así tendremos tiempo para intercambiar experiencias. ¿Qué os parece?

—¡Estupendo! —contestaron sin dudarlo Paula y Ray.

—En cuanto a vuestros aprendices, hemos pensado que pueden alojarse en la residencia de invitados que hay cerca del centro. Queremos que se encuentren como en su casa.

Llegó la hora del descanso y los aprendices cayeron rendidos en sus camas. Demasiadas emociones en un solo día. Ahora debían dormir bien y estar preparados para disfrutar de muchas aventuras durante su estancia en Olaris.

Inteligencia interpersonal

Es la capacidad para entender a los demás y actuar en situaciones sociales, para percibir y discriminar estados de ánimo, emociones, motivaciones o intenciones. Incluye la sensibilidad a expresiones faciales, al tono de voz, los gestos y posturas y la habilidad para responder a ellos de forma adecuada, lo que supone tener empatía.

Se expresa en la capacidad empática que facilita entender la realidad del otro, asumir su perspectiva y ver la pluralidad y la diversidad como un hecho positivo. Las personas con este tipo de inteligencia saben comunicarse de manera eficiente con los demás, tienen grandes dotes de persuasión y prefieren estar en grupo a solos. Pueden asumir diversos roles dentro de un grupo, aunque a menudo les gusta tomar la iniciativa.

Esta inteligencia está presente en los niños que disfrutan y aprenden trabajando en grupo, que son convincentes en sus negociaciones con pares o mayores, que entienden al compañero, que saben cómo motivar a otros y buscar el consenso en la resolución de conflictos. Necesitan amigos, juegos de grupo, reuniones sociales, celebraciones, pertenecer a un equipo o club...

Suelen tener muchos amigos y a menudo son líderes natos, aunque en ocasiones pueden ser muy manipuladores. Les gusta explicarles a otros niños cualquier tema que ellos dominen. Normalmente, los otros niños buscan su compañía por su habilidad en la solución de conflictos y en integrar a diferentes personalidades en el juego. Prestan su ayuda cuando los demás la necesitan y muestran sensibilidad hacia sus sentimientos; es decir, son empáticos.

Profesiones en las que está presente: educadores, animadores, abogados, relaciones públicas, trabajadores sociales, actores, políticos, asesores, vendedores, profesores, psicólogos, terapeutas y cualquier tipo de actividad que requiera liderazgo.

Un juego sorprendente

A todos les había venido muy bien dormir y desayunaron con muchas ganas mientras se preguntaban qué sorpresas se iban a encontrar en su primer día en Olaris.

Cuando terminaron, Paula los llevó al punto de encuentro.

—Buenos días, aprendices; espero que hayáis descansado, pues hoy será un día de mucho trabajo —les dijo Telma a las puertas del centro de aprendizaje.

¿Un día de trabajo? ¿Por qué tenían que trabajar si estaban de vacaciones? Era un viaje de fin de curso, no querían continuar estudiando...

Pero Kumara añadió:

—Hemos organizado un gran juego.

—¡Bien! —gritaron todos, aliviados. Menos mal que iban a jugar y no a trabajar...

—El juego —continuó Kumara— está inspirado en uno de la Tierra bastante antiguo, pero que nos parece muy interesante: se trata del juego de la oca.

—¿El juego de la oca? —preguntó Linda, muy extrañada—. Pero si a eso jugaban mis abuelos cuando eran pequeños...

–Pues sí, el mismo juego, pero con algunos cambios acordes con nuestro tiempo. Esperamos que os resulte divertido, y ahora os explicaremos sus reglas.

Se dirigieron a un gran patio circular. En el suelo había un tablero gigante en forma de espiral con cuadrículas numeradas, cada una con un dibujo diferente.

–Miradlo bien –dijo Telma–. Este será el tablero del juego. Ahora vais a formar tres equipos; cada equipo elegirá un color y se vestirá con un mono del color elegido. También tendrá que elegir a un líder, quien será el encargado de leer la prueba que os toque en cada casilla y de presentar los resultados ante el jurado, que seremos nosotros cuatro.

–Y este será el dado –dijo Kumara mostrándoles un pequeño cubo transparente–. Como veis, parece de cristal, pero es de un material muy resistente y está sincronizado con el tablero de modo que,

además de señalar el número que habéis sacado en la tirada, activa una pantalla en la que aparece la prueba que debéis superar. Una vez realizada, podéis volver a tirar para continuar el juego. ¿Habéis entendido bien?

–¿Y quién es el ganador? –preguntó Luca.

–Gana el equipo que consiga llegar el primero al final del tablero –contestó Telma.

–¿Y hay algún premio? –preguntó Keiko.

–Naturalmente –dijo Paula–, pero eso es una sorpresa.

–Bueno, aprendices, formad tres equipos de seis personas, escoged un color y poneos los trajes para empezar el juego cuanto antes.

Kumara creyó que hacer los grupos sería fácil, pero le sorprendió ver que los aprendices de la Tierra no se ponían de acuerdo: unos querían estar junto a sus amigos, otros no querían estar con alguien en particular, aunque los de Pegasus intentaban convencerlos para que en cada equipo hubiera aprendices con capacidades diferentes.

Al final, Paula y Ray tuvieron que intervenir y les dijeron:

–¿No creéis que sería mejor tener compañeros con distintas habilidades?

–No te preocupes, Paula; ahora mismo formamos los equipos –dijo Linda, muy confiada.

Durante unos minutos, Paula, Ray, Kumara y Telma observaron a sus chicos: Linda y Artur llevaban la voz cantante, tenían madera de líderes y capacidad para organizar y, aunque hubo algunas protestas, muy pronto los tres grupos estuvieron listos.

Linda era la líder del equipo azul; Artur, del equipo rojo, y Bao, del equipo amarillo.

–¿Preparados? Pues bien, que un aprendiz de cada grupo tire el dado, y empezará a jugar el que saque el número más alto.

Kumara dijo en voz alta el número de cada tirada y añadió:

—El equipo rojo ha sacado un seis, así que será el primero en jugar. Artur tiene que ir a la casilla que ya está iluminada y explicar a su equipo la prueba que les ha tocado. Nosotros estaremos aquí para deciros si la habéis superado, en cuyo caso podréis continuar el juego. Y ahora... ¡a jugar!

De pronto, los aprendices salieron disparados: todos corrían para intentar hacer lo que su líder había leído en la casilla.

La mañana se les pasó volando y la comida se convirtió en una fiesta llena de risas y comentarios sobre el juego.

—Pues a nosotros nos ha costado mucho la prueba de hacer una escultura con nuestros cuerpos; ha sido muy difícil porque no sabíamos cómo colocarnos sin caernos. Menos mal que Bao nos ha ayudado —dijo Kantor.

—Para nosotros ha sido fácil encontrar el tesoro porque en nuestro equipo estaba Nadia y se le da fenomenal interpretar un mapa —comentó Keiko—. Si no llega a ser por ella, todavía lo estaríamos buscando.

—¡Cómo me hubiera gustado a mí estar con vosotros! —dijo Tomi—. Se me da muy bien leer las pistas, pero en una de las pruebas hemos tenido que dibujar las hojas de los árboles de Olaris y se me da fatal el dibujo. Menos mal que en nuestro equipo estaba Sirio.

Y así los aprendices de la Tierra se dieron cuenta de lo que tantas veces les había dicho Paula: trabajar en equipo era divertido, además de útil, porque entre todos podían hacer más cosas y mejor.

—¿Vamos a continuar el juego después de comer?

—¿Y si no lo terminamos hoy?

—¿Podemos cambiar de equipo ahora?

A estas y otras preguntas contestó Telma, que aprovechó
para anticipar el premio:

—El equipo ganador hará una excursión a una de nuestras lunas,
Caope. Es un lugar maravilloso y sorprendente. Saldrán mañana,
después del desayuno, y en la cena compartirán con todos nosotros
sus experiencias del viaje ¿Qué os parece?

Entre los aprendices de Pegasus se oyó una exclamación
acompañada de un murmullo. A ellos les habían hablado de Caope,
y todos los que habían estado allí volvían entusiasmados.
¡Menudo premio!

Por la tarde siguieron jugando, pero nadie se encontraba cansado;
por eso protestaron cuando Kumara anunció el final del juego.

—Lo siento, aprendices. Un equipo ha llegado ya al final; así son
las reglas. Ahora debéis regresar al patio para hacer la entrega
de premios.

—Y el equipo ganador es... ¡el azul! —proclamó solemnemente Telma.

Linda, Sirio, Luna, Fénix, Lucía y Tomi se abrazaron felices
y recogieron su premio, los pasajes para el viaje, en medio
de los aplausos de sus compañeros y de los miembros del jurado.

—Sin embargo —continuó Kumara—, en Pegasus valoramos
el esfuerzo, no solo el ganar. Por eso mañana, mientras vuestros
compañeros estén en Caope, nosotros también nos vamos a divertir.

—¡Bieeeeennnnnnn! —gritaron los aprendices de los dos equipos
restantes.

Esa noche, los miembros del equipo azul apenas pudieron dormir.
Casi al amanecer, saldrían hacia una de las dos lunas de Pegasus,
y ya estaban deseando llegar para conocer aquel lugar del que todos
contaban cosas maravillosas.

❧ Aventura en Caope ❧

Un cielo de un rosa intenso era la señal de que amanecía en Olaris y de que la gran aventura para el equipo azul iba a comenzar.

A pesar de la ilusión que todos sentían, estaban un poco nerviosos porque no sabían lo que se iban a encontrar en Caope y acababan de conocerse.

"¿Por qué cada uno habla de ese lugar de una forma tan diferente?", se preguntaban. A los padres de Luna les pareció un lugar tranquilo y romántico; sin embargo, la madre de Fénix decía que allí vio cosas fantásticas y desconocidas para ella.

Lo primero que vieron antes de aterrizar fueron unos enormes agujeros en la superficie. Sirio les contó que por allí se accedía a las viviendas, y para llegar hasta ellas era necesario bajar en ascensor.

Cuando por fin pisaron Caope, Tomi se puso pálido y les dijo muy asustado:

—Yo me quedo aquí; no pienso bajar. ¿Y si luego pasa algo y no podemos salir?

—No tengas miedo —contestó Fénix—. Aquí vive mucha gente y nunca ha pasado nada malo.

Pero Linda, como le conocía bien, le dijo:

—No te preocupes; entre todos nos vamos a cuidar. Somos un equipo, ¿no?

—Por supuesto –dijo Sirio–. Además, Fénix, Luna y yo lo haremos especialmente bien porque sois nuestros invitados.

Mientras se dirigían a los ascensores, apareció un mensaje en una pantalla: "Equipo azul, diríjase al piso –70, sección tres, sala cuatro". Un sudor frío recorrió la espalda de Tomi: ¡piso –70!

Y aquel trayecto en ascensor le resultó más difícil que el viaje hasta Caope en nave espacial, aunque Fénix le distrajo contándole algunos chistes famosos en Pegasus y, cuando llegaron al piso –70, Tomi se estaba riendo.

—¿Ves? Ya ha pasado todo –le dijo Linda para animarle.

En unos minutos llegaron al lugar indicado, donde alguien los estaba esperando.

—Buenos días, equipo azul. Soy Zendras, vuestro guía en Caope. Pasaremos el día juntos en un programa de visitas que, espero, sea muy emocionante para vosotros. ¿Queréis descansar, o estáis dispuestos a comenzar ya?

—Tenemos que aprovechar el día –dijo Sirio. Y como todos estuvieron de acuerdo, se pusieron en marcha.

Durante unos minutos, Zendras los guio a través de unos túneles mientras les explicaba cosas interesantes sobre Caope; pero algunos aprendices tenían intereses muy concretos.

—¿Vamos a ver las grandes construcciones? Me han dicho que las han diseñado los arquitectos más famosos de la galaxia –dijo Sirio.

—Algunas de ellas, sí, pero en un día no da tiempo a verlas todas.

—¿Y vamos a conocer animales y plantas raros? –preguntó Tomi.

—Esa es mi intención. Para ello tendremos que caminar un poco hasta llegar a un bosque cercano. En él viven algunos animales que cuidamos de forma especial porque ya quedan pocos —contestó Zendras.

Caminaron durante un rato por los túneles bien iluminados y, cuando por fin salieron a la superficie, pudieron respirar el delicioso aroma de los árboles en flor.

—Ahora tened mucho cuidado, porque el suelo está resbaladizo, ya que en Caope llueve todas las noches del año —advirtió Zendras.

Durante el recorrido les fue diciendo cómo se llamaba cada planta, cada árbol, cada roca de extraños colores, hasta que se paró en un claro del bosque y les dijo:

—Si os parece bien, os dejo un tiempo para que deis un paseo. Podéis grabar aquello que os guste para enseñárselo después a vuestros compañeros.

Tomi se sintió feliz: así podría explorar con libertad lo que quisiera. Fénix sacó su libreta digital y se puso a escribir algo. Sirio empezó a dibujar el paisaje que se veía desde allí. Lucía cerró los ojos, agradecida por aquel momento de calma. Sin embargo, Linda se quedo hablando con Zendras: ella prefería conocer más cosas de Caope y no paró de hacerle preguntas.

Pasaron unos minutos y su guía los llamó para continuar la excursión, pero Tomi no apareció. Le llamaron al comunicador; luego, a voces, y como no contestaba, Zendras se puso un poco nervioso.

–Quedaos aquí. Voy a ver si lo encuentro.

–De eso nada –dijo Linda, muy seria–. Somos un equipo, debemos buscarle entre todos. ¿Por qué no va cada uno en una dirección?

–Está bien, pero mirad vuestros relojes: si dentro de diez minutos no lo habéis encontrado, volved aquí –ordenó Zendras.

Entretanto, Tomi seguía a un curioso animal, parecido a un pequeño dinosaurio de los que habitaron la Tierra hacía millones de años.

Quería grabarlo para enseñárselo a sus amigos, pero, cada vez que se acercaba, el animal echaba a correr; así, sin darse cuenta, Tomi se alejó demasiado del grupo.

Estaba tan distraído siguiéndolo, que pisó mal y cayó por un terraplén. Gritó con todas sus fuerzas, pero sus compañeros no podían oírle porque estaban demasiado lejos. Para colmo de males, había perdido el comunicador. ¿Qué podía hacer? El pie le dolía y no sabía dónde estaba.

De pronto oyó un ruido a su espalda y se asustó mucho. ¿Sería un animal peligroso? Al girarse vio una rara especie de ardilla con alas que le miraba con curiosidad desde la rama de un árbol.

"Si pudiera llamar a Zendras...", pensó Tomi.

Y al instante la ardilla echó a volar, dejándolo otra vez solo y asustado.

Los demás estaban muy preocupados: habían buscado por todas partes, pero Tomi no aparecía, así que regresaron junto a su guía.

—Bueno, chicos —dijo Zendras—, no puede haber ido muy lejos. Sigamos buscando,

Y apenas había terminado de hablar cuando algo pasó volando por encima de sus cabezas.

—¡Qué susto! —dijo Lucía—. Parece que nos quiere atacar.

—¡Es una ardilla voladora! —dijo Sirio emocionado, pues solo las había visto en algunos documentales.

—Dicen que son animales muy inteligentes —añadió Fénix—. A lo mejor quiere llamar nuestra atención.

—Si ha visto a Tomi, seguro que nos lleva hasta él —dijo Zendras, más animado.

Al instante, la ardilla echó a volar y todos la siguieron con la esperanza de localizar a su compañero. Después de caminar un buen rato, lo descubrieron lleno de barro y muy asustado:

–Menos mal que me habéis encontrado –les dijo Tomi–. Pensaba que tendría que pasar la noche aquí solo.

–Da las gracias a la ardilla voladora: ella nos ha guiado hasta ti –dijo Zendras mientras le ayudaba a levantarse y comprobaba que su pie estaba bien.

Entonces, Tomi ofreció a la ardilla una golosina y ella la cogió con rapidez, alzando el vuelo muy contenta.

Ese día conocieron también otros animales y plantas extraños. Después estuvieron viendo la Tierra desde un enorme telescopio y se dieron un baño en un lago de un precioso color turquesa.

Más que un día, parecía que habían pasado una semana en Caope, y cuando ya se encontraban junto a la nave espacial despidiéndose de Zendras, este les dijo:

–Habéis sido muy buenos compañeros. Recordad siempre que un equipo puede conseguir más que cada uno de sus miembros por separado.

Sirio, sonriendo, comentó:

–¿Recordáis el juego de la oca? Ganamos porque cada uno de nosotros tiene talentos diferentes y por eso pudimos superar las pruebas. Separados no lo hubiéramos conseguido, estoy seguro.

La nave despegó rumbo a Olaris y, durante el viaje, los aprendices iban en silencio, cansados y contentos, sintiéndose felices de pertenecer a un gran equipo.

Ficha para padres

Si queréis que vuestro hijo desarrolle la inteligencia interpersonal, debéis tener en cuenta los siguientes aspectos:

➢ Animadle a relacionarse con frecuencia con amigos y compañeros, pues trabajar en equipo es una fuente de aprendizaje social.

➢ Sed empáticos con él y reflejad lo que siente para impulsar el desarrollo de su empatía.

➢ Procurad que participe en actividades de grupo o se integre en algún equipo deportivo, grupo de teatro, club, banda, coro... según sus intereses.

➢ Ved películas con él para ayudarle a interpretar de forma adecuada los sentimientos y emociones de los personajes.

➢ No le protejáis de los conflictos, pues necesita aprender a resolverlos de forma adecuada.

➢ Animadle a que ayude o explique algún tema a hermanos pequeños o a otros compañeros que necesiten su ayuda.

➢ Organizad algún encuentro semanal para participar todos en juegos de mesa o cooperativos.

✐ Después de leer el cuento *Un juego sorprendente*, podéis jugar entre vosotros al juego de la oca. ¿Qué habría en las casillas del juego de Pegasus? Pedid a vuestro hijo que invente alguna prueba divertida.

✐ Podéis preguntar al niño si le hubiera gustado a él ir a ese viaje. ¿Qué habría sentido? ¿Con quién le hubiera gustado ir si hubiera podido elegir a sus compañeros? ¿Cómo se imagina el planeta Pegasus? Pedidle que lo dibuje.

✐ A los aprendices de la Tierra les cuesta formar equipos. Si él tuviera que formar uno, ¿a qué compañeros de su clase elegiría? ¿Hay alguien que mande más en su grupo de amigos?

✐ Después de leer *Aventura en Caope*, pedid al niño que se ponga en el lugar de Tomi y preguntadle cómo se habría sentido en el lugar de Tomi al llegar a Caope. Si él fuera el mejor amigo de Tomi, ¿qué le hubiera dicho para ayudarle a superar su miedo?

✐ Si a vuestro hijo le gusta dibujar, puede hacer un mapa de Caope o dibujar animales raros que se invente o la ardilla voladora que ayuda a Tomi. Si prefiere escribir, pedidle que cambie alguna parte del cuento.

✐ Jugad con el niño a inventar una nueva aventura en Caope, diciendo cada uno una frase hasta completar el relato. Luego lo podéis escribir.

⤙ *Inteligencia musical* ⤚

Es la capacidad de reconocer, apreciar, discriminar, transformar y expresar las formas musicales, así como la sensibilidad al ritmo, al tono y al timbre. Desde un punto de vista más general, incluye la capacidad de captar la estructura de las obras musicales. Estas habilidades permiten comunicar, comprender y crear a través de los significados de los sonidos.

A las personas que destacan en esta inteligencia les gusta silbar, entonar melodías con la boca cerrada, llevar el ritmo... y responden con interés a los diferentes entornos sonoros donde se encuentren, captando diferencias y matices que a los demás les pasan inadvertidos.

La inteligencia musical abarca un abanico de habilidades como la capacidad de cantar una canción, recordar melodías, tener un buen sentido del ritmo, componer música, tocar instrumentos o, simplemente, disfrutar de la música.

Es la inteligencia que tienen los niños que se sienten atraídos por los sonidos de la naturaleza y por todo tipo de melodías, que disfrutan siguiendo el compás con el pie, golpeando o sacudiendo algún objeto rítmicamente o cantando. Suelen tener buena capacidad para entonar y aprender canciones. Son capaces de reproducir de forma correcta una canción que acaban de escuchar y componen ritmos, patrones o melodías. Disfrutan experimentando con objetos para crear diferentes sonidos.

Profesiones en las que está presente: músicos, coreógrafos, cantantes, compositores, bailarines, intérpretes, directores de orquesta, críticos musicales, afinadores, luthiers...

❧ *Un extraño concierto* ❧

Aquella mañana, cuando se reunieron los aprendices después del desayuno, echaron de menos a sus compañeros del equipo azul, que ya estaba en Caope disfrutando de la excursión.

Aun así, sabían que Telma les había prometido pasar un día muy divertido y se preguntaban qué habría organizado.

—Queridos aprendices, mientras vuestros compañeros están en Caope pasándolo bien, nosotros también vamos a divertirnos aquí. Os propongo organizar un concierto para darles la bienvenida esta noche.

Ray añadió:

—Estaría bien preparar algunas canciones, unas de la Tierra y otras de Pegasus.

—Pero sería estupendo que alguno de vosotros creara una nueva canción —dijo Paula.

Entre los aprendices había diferentes caras: unas mostraban alegría; otras, en cambio, desánimo, como si cantar no fuera fácil para ellos.

Los dos grupos de aprendices se separaron para decidir qué podían aportar para el concierto.

Kamal fue el primero en hablar:

—Me sé un montón de canciones —les dijo, entusiasmado—. Si queréis, os las puedo enseñar.

—Mejor elegimos entre las que hemos aprendido en clase —dijo Luca—. Así será más fácil cantarlas.

—No, es más divertido inventarnos una —añadió Keiko—. Yo me encargo de la letra, Kamal; tú le pones la música y tú, Bao, puedes montar un baile.

—Y yo me encargo de hacer el decorado. Puedo pintar un cartel que anuncie el concierto —dijo Nadia.

—Y yo, ¿qué hago? —preguntó Nacho, un poco disgustado—. No se me da bien cantar ni bailar ni pintar...

—Si quieres, puedes anunciar las canciones. Serás el presentador, ¿qué te parece? —le preguntó Linda.

—Bueno, no me parece mal —contestó Nacho, aliviado.

Y mientras algunos aprendices de la Tierra decidían qué canciones iban a interpretar, Keiko y Kamal decidieron inventarse una nueva y se fueron a un lugar más tranquilo para inspirarse.

Al mismo tiempo, los aprendices de Pegasus, reunidos en el jardín, hacían sus planes.

—Podemos darles una sorpresa. ¿Qué os parece un concierto de silencio? Seguro que no lo conocen en la Tierra —dijo Naga.

—Y también podemos crear formas y colores cantando. ¿Qué os parece? —añadió Vega—. No creo que lo hayan visto nunca.

—A mí me gustaría presentar el espectáculo; ya sabéis que desafino —dijo Artur.

—Y yo les puedo explicar en qué consiste el concierto de silencio —añadió Luna.

—Antala, Kantor y yo, además de cantar, podemos bailar, y así será más divertido —dijo Lira.

—¡Estupendo! Diremos a Telma que nuestro concierto tendrá dos partes: una dentro del salón y otra fuera, en los jardines.

Nacho, ya más relajado al saber que no tendría que cantar, iba de un lado a otro con su cuaderno digital esperando que le dieran el título y el orden de las canciones, porque necesitaba ensayar como presentador.

Nadia estaba concentrada haciendo el cartel, cuando se le acercó Lira.

—¿Qué haces, Nadia? Creíamos que era un concierto.

—Sí, claro, mis compañeros están ensayando las canciones, pero a mí no se me da bien cantar; se me da mejor dibujar y he decidido hacer un cartel para el concierto.

—¿Y no te gustaría aprender? En Pegasus es muy importante la música, sobre todo porque... —Lira se tapó la boca; no debía descubrir la sorpresa.

—¿Por qué es tan importante? —preguntó Nadia, curiosa.

—Creo que lo descubrirás esta noche. Ahora no puedo decirte más. Hasta luego, Nadia —le dijo mientras se marchaba.

Llegó la hora de la comida y todos estaban nerviosos, aunque aún quedaba la tarde para los ensayos.

Pronto se hizo de noche, lo que suponía el regreso del equipo azul de Caope y el comienzo del concierto.

El precioso cartel de Nadia ya estaba colocado a la entrada del salón y, cuando entraron los miembros del equipo azul, se llevaron una gran sorpresa al ver a Nacho subido al escenario.

–Bienvenidos, equipo azul; hemos preparado un concierto para vosotros.

El salón se iluminó y, de pronto, los primeros aprendices de la Tierra aparecieron en el escenario cantando dos canciones muy conocidas mientras Bao bailaba siguiendo el ritmo.

Su actuación terminó con un gran aplauso y Nacho volvió a salir al escenario.

–Y ahora –dijo con voz expectante–, con todos vosotros y en primicia galáctica, la canción "Te recordaré!", con letra de Keiko y música de Kamal.

La canción les quedó preciosa y recibieron grandes aplausos, sobre todo de Paula y Ray, que se sentían muy orgullosos de ellos.

A continuación salió al escenario Artur y dijo:

–Nuestra actuación tiene dos partes: la primera en este salón y la segunda en los jardines que hay en la entrada. A continuación les presento dos canciones muy famosas en Pegasus.

Vega, Antala, Kantor y Lira salieron al escenario para iniciar su actuación, mientras por ambos lados aparecieron unas gigantescas pantallas. Y en cuanto empezaron a cantar, sobre ellas aparecieron unas preciosas y cambiantes formas geométricas

Los aprendices de la Tierra nunca habían visto una cosa igual y se quedaron con la boca abierta. A cada tono parecían corresponderle una figura y un color, de modo que sus canciones se convertían en imágenes que se movían al ritmo de la música.

Cuando terminó su actuación, los aprendices se pusieron de pie gritando entusiasmados.

—¡Bravo! ¡Bravo!

—Y ahora —dijo Artur—, os invito a salir a los jardines. Allí podéis tumbaros sobre la hierba o donde estéis más cómodos, pero guardad silencio.

Cada uno fue encontrando su lugar, mientras Luna les explicaba:

—Y ahora, la segunda parte: un concierto de silencio. Consiste en escuchar con atención los sonidos que nos rodean: el agua de las fuentes, los pájaros nocturnos, el susurro de las estrellas... Yo os avisaré cuando haya terminado. Ahora cerrad los ojos y escuchad...

Aunque al principio se sentían un poco raros, siguieron las instrucciones de Luna y poco a poco se fueron quedando relajados mientras un montón de sonidos se hacían más y más presentes.

Después de unos minutos, Luna les dijo:

—Y ahora podéis abrir los ojos lentamente y disfrutar de las sensaciones que os ha producido este concierto.

Los aprendices de la Tierra estaban como hipnotizados. Les hubiera gustado preguntar muchas cosas, pero ese no era un buen momento.

—Bueno, aprendices, ya es hora de dormir —dijo Kumara—. Mañana podremos comentar vuestras experiencias de esta noche. ¡Felices sueños!

Lentamente, como si les costara mover el cuerpo, se levantaron para irse a dormir disfrutando de un estado de paz asombroso.

⚼ *Los detectives de sonidos* ⚼

Desde que Kamal escuchó cantar a los aprendices de Pegasus, se preguntaba cómo podían crear formas y colores solo con su voz.

Tampoco entendía por qué Vega le había preguntado si era capaz de oír el susurro de las estrellas. ¿Cómo se podía oír algo así? Las estrellas no sonaban. Seguro que Vega quería tomarle el pelo. Pero pronto surgió la ocasión de encontrar las respuestas.

Una tarde, después de comer, mientras casi todos descansaban, Kamal salió a pasear con Suan y, después de caminar unos minutos, vio a Vega sentada en un parque. Kamal se acercó y le dijo:

–¡Hola, Vega! ¿Estás leyendo?

–¡Oh, no! –contestó sonriente–. Intento componer una canción.

–Pues yo quería hablar contigo. ¿Por qué ayer me preguntaste si había oído el susurro de las estrellas? Era una broma, ¿no?

–No, no era ninguna broma: las estrellas, igual que los planetas, hacen sonidos al moverse por el universo.

Kamal se quedó pensativo.

–También quería pedirte un favor –añadió–. ¿Podrías enseñarme a crear formas y colores con la voz? Me encantaría aprender...

Vega se echó a reír y le contestó:

—No creo que pueda enseñarte en tan poco tiempo, pero si quieres puedo enseñarte a componer canciones.

—¡Claro que sí! —contestó Kamal con entusiasmo.

Entonces Vega le enseñó el aparato que tenía entre las manos y le explicó cómo se usaba.

—Mira, es muy sencillo: tú tarareas una canción y este aparato la graba; después la transformas: cambias el orden de las notas, el ritmo, el sonido de los instrumentos o de la voz hasta que quede como tú quieras.

—¡Déjame probar! Parece divertido.

—También puedes añadir algún efecto sonoro. ¿Ves este botón? Aquí está el sonido del viento, del mar, de las estrellas. Este aparato puede reproducir cualquier sonido que exista.

Kamal tarareó una canción, después hizo varios cambios y, en unos minutos, se encontró con una canción totalmente nueva.

—Ahora puedes añadir algún efecto sonoro; solo tienes que elegir uno que te guste.

No tenía ninguna duda; estaba deseando oír el sonido de las estrellas y se quedó fascinado al oírlo.

—Es como un murmullo —dijo—, como si hablaran entre ellas...

Bien a su pesar, tuvieron que interrumpir la charla porque Suan estaba inquieto, y se fueron a dar un paseo hasta que llegó la hora de reunirse con sus compañeros

Y cuando todos se encontraron, Kamal se acercó a Lucía y le preguntó al oído:

—Lucía, ¿has oído alguna vez el susurro de las estrellas?

Ella le miró sorprendida y contestó:

—¡Claro que no! Nadie puede hacerlo.

–Pues yo sí. Me lo ha enseñado Vega. Me ha dejado un aparato para componer música en el que están grabados todos los sonidos. ¡Es fantástico!

Tuvieron que dejar de hablar porque Telma había llegado y quería explicar lo que harían aquella tarde.

–Queridos aprendices, ayer disfrutamos mucho en el concierto; por eso voy a proponeros una actividad por parejas: vais a ser detectives de sonidos. Con este pequeño aparato que os voy a dar, podéis grabar todos los sonidos que os resulten interesantes y, al finalizar la tarde, los oiremos todos para jugar a las adivinanzas. Ganará la pareja que presente los sonidos menos reconocibles. Y ahora, ¡a la caza de sonidos!

Kamal miró a Vega y los dos sonrieron. Si trabajaban juntos, podían seguir charlando. Recogieron las grabadoras y salieron de allí dispuestos a capturar sonidos.

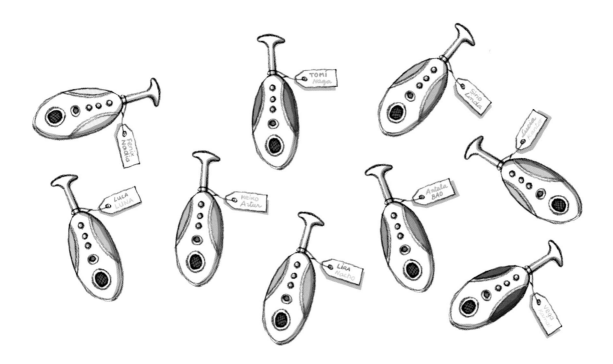

–Vamos al bosque, allí hay muchos –sugirió Vega.

–No, tengo una idea mejor. ¿No te das cuenta de que también nosotros podemos hacer sonidos? Ya verás cómo casi nadie reconoce estos –contestó Kamal.

Kamal estornudó, luego se rio, puso la grabadora sobre su corazón; después, delante de su boca mientras soplaba con fuerza... Vega tenía que taparse la boca para no reír y estropear la grabación.

Vega vio que Kamal cambiaba de sitio la grabadora y oyó un extraño sonido. Entonces se echó a reír con todas sus fuerzas.

–No creo que nadie de Pegasus lo reconozca. Aquí la comida no produce gases.

–Pues seguro que alguno de mis compañeros sí lo reconoce, ya verás, aunque es bastante difícil –dijo Kamal riéndose también.

Vega creó nuevos sonidos al deslizar el zapato sobre el suelo, dar fuertes pisadas, hacer gárgaras con agua, suspirar, dar palmas, y uno que a Kamal lo dejó boquiabierto: cepillarse el pelo.

¡Qué buen equipo de detectives formaban! Y qué bien se lo estaban pasando. No les importaba ganar o perder; solo querían ver las caras de sus compañeros al oír los sonidos que habían grabado.

Como era de esperar, las parejas fueron llegando, todas sonrientes, lo que demostraba que aquella actividad había resultado divertida.

–Bueno, aprendices –dijo Telma–, ahora dadme vuestros equipos de grabación, y poned los nombres para saber de quién es cada uno.

Se presentaron sonidos de todo tipo: de animales, de la ciudad, de instrumentos musicales, de fenómenos naturales... Casi todos fueron reconocidos por unos u otros, pero cuando oyeron los que habían grabado Vega y Kamal, casi nadie consiguió descubrir su origen, por lo que fueron proclamados campeones entre fuertes aplausos.

–Enhorabuena, habéis hecho un buen trabajo –les dijo Telma–. Ahora ya sabéis que uno de los instrumentos que puede hacer más sonidos es el propio cuerpo. Pero hay uno que yo tampoco he sido capaz de reconocer. ¿Podéis decirme qué es?

Telma buscó en la grabadora y lo reprodujo. Y en el momento en que Ray, Paula y los aprendices de la Tierra lo oyeron de nuevo, se echaron a reír, mientras Telma y Kumara se miraban atónitos, sin entender por qué.

–Es un sonido que se produce cuando los gases que hay en el cuerpo quieren salir y que suele ir acompañado de cierto olor desagradable –contestó Paula entre risas–. Es muy común en la Tierra.

Entonces comprendieron de qué se trataba y se rieron, mientras un olor bastante agradable les recordó que era ya la hora de cenar.

Ficha para padres

Si queréis
que vuestro hijo
desarrolle la
inteligencia musical,
debéis tener en cuenta
los siguientes
aspectos:

Valorad la música como algo que nos acompaña en la vida.

Haced que el niño preste atención a los elementos sonoros que hay a su alrededor.

Procurad que comparta con vosotros la música que le gusta y que va descubriendo, y escuchadla con él.

Ofrecedle música de diferentes estilos, épocas y compositores, para que desarrolle su capacidad de discriminación y pueda determinar sus preferencias.

Dadle la oportunidad de aprender a tocar algún instrumento, entrar en un coro o ir al conservatorio.

Animadle a participar en acontecimientos musicales que se organicen en el colegio o llevadle a conciertos con un repertorio adaptado a niños.

Enseñadle alguna canción que vosotros aprendisteis cuando teníais su edad y cantad juntos en las celebraciones.

También podéis hacer lo siguiente:

↝ Después de leer el cuento *Un extraño concierto*, pedidle que elija lo que le hubiera gustado a él hacer si hubiera tenido que participar en el concierto: cantar, bailar, tocar algún instrumento, presentar las canciones o hacer el cartel.

↝ ¿Se puede imaginar un concierto de silencio? Elaborad entre todos una lista de sonidos que se pueden oír en el lugar donde vivís.

↝ Ayudadle a crear un rap en el que cuente lo que hace en clase o sus comidas favoritas, poniendo atención al ritmo y a sus movimientos, como si tuviera que representarlo ante los aprendices de Pegasus.

↝ Después de leer *Los detectives de sonidos*, podéis jugar a que el niño grabe los sonidos de un lugar para que vosotros averigüéis de qué lugar se trata, y después a la inversa.

↝ Podéis jugar a descubrir los sonidos que hay en un determinado momento del día; por ejemplo, qué sonidos hay en una cocina mientras se prepara la cena, o en el parque por la tarde.

↝ Jugad a imitar todos los sonidos que se pueden hacer con el cuerpo.

✑ *Inteligencia naturalista* ✑

Es la capacidad de distinguir, clasificar y utilizar elementos
del medio ambiente, de la flora y la fauna. Permite reconocer
y clasificar las diferentes especies, distinguiendo las que son valiosas
o peligrosas, y a categorizar organismos nuevos o poco familiares.
Incluye las habilidades de observación, experimentación, reflexión
y cuestionamiento de nuestro entorno.

Este tipo de inteligencia está presente en personas que saben
observar, estudiar la naturaleza, clasificar elementos del medio
ambiente y utilizar estos conocimientos de forma productiva.

Se manifiesta en los niños que aman los animales y las plantas,
que reconocen y les gusta investigar las características del mundo
natural y de su entorno, así como observar los fenómenos
atmosféricos y los ciclos de la naturaleza. Sienten una gran inquietud
por desvelar los misterios de la naturaleza.

Los niños con esta inteligencia son capaces de ver las relaciones
entre los distintos elementos de la naturaleza y tienen un fuerte
interés en los fenómenos naturales. Son buenos observadores
y son capaces de hacer clasificaciones entre diferentes especies
de plantas y animales.

Profesiones en las que está presente: biólogos, jardineros,
geógrafos, antropólogos, veterinarios, agricultores, ganaderos,
meteorólogos, botánicos, geólogos, paisajistas, ecologistas...

⤬ *En busca de los unicornios* ⤬

Esa mañana, mientras comían, Paula se levantó bruscamente de su asiento y salió corriendo del comedor.

Solo faltaban Tomi y Naga, pero era habitual que dieran largos paseos con Suan por el bosque, observando cada planta y cada animal que se encontraban, sin darse cuenta de la hora.

—¿Qué ocurre, Paula? —le preguntó Ray al verla salir con prisa.

—Creo que hay un problema: Kumara quiere que me reúna con él a la entrada del bosque.

—Si quieres te acompaño —le dijo él.

—No hace falta, Ray; ya lo soluciono yo.

Cuando Paula se encontró con Kumara, este le dijo:

—En este bosque viven los unicornios de Olaris y, al parecer, Suan los ha asustado con sus ladridos, porque han huido todos. El problema es que los unicornios solo se alimentan de unas plantas que crecen entre estos árboles tan especiales, y si no vuelven pronto, sus vidas corren peligro. Debemos encontrarlos cuanto antes y hacer que regresen.

Paula movió la cabeza, preocupada:

—Lo siento, Kumara. Y ahora, ¿qué podemos hacer?

—Creo que Tomi y Naga deberían ir a buscarlos. Ellos tienen un talento especial para moverse por el bosque y, además, les gustan mucho los animales.

Paula pulsó un número en el comunicador digital y Tomi contestó nervioso.

—Paula, ¿pasa algo?

—Sí. Debéis volver enseguida. Kumara y yo os estaremos esperando en el camino que va del bosque a la ciudad. ¡Daos prisa!

Solo habían pasado unos minutos cuando Naga y Tomi aparecieron corriendo seguidos de Suan, que no tenía la menor idea de lo que había provocado con sus ladridos.

Tomi se acercó a Paula y le dijo, un poco avergonzado:

—Lo siento, creo que debe de ser la hora de la comida, pero se nos ha pasado el tiempo volando: estábamos siguiendo a unas enormes mariposas y...

—Tomi, Naga —dijo Kumara, muy serio—, tenemos un problema y necesitamos vuestra ayuda.

Entonces les contaron lo que había sucedido.

—Pues tenemos que ir a buscarlos enseguida —dijo Naga, preocupada.

—Tened en cuenta que los unicornios siempre han vivido en este bosque, no conocen otro lugar, así que no sabemos dónde han podido ir. Buscadlos y haced que vuelvan, por favor —les pidió Kumara.

Naga y Tomi caminaron en silencio rodeando todo el bosque, pero no vieron ningún unicornio.

—¿Y ahora qué hacemos?

—Tengo una idea. Si yo fuera un unicornio, buscaría un lugar parecido al bosque, un lugar con sombra y con agua para beber.

–¡Claro! ¡Qué buena idea! Sigamos el río, a ver dónde nos lleva.

A Tomi le fascinaba aquel río de aguas color esmeralda, y más aún las piedras de mil colores del fondo, que brillaban al sol de una forma tan especial. Por eso, cada poco se detenía y Naga se enfadaba con él.

–No podemos perder tiempo: los unicornios están en peligro.

Tomi se puso de nuevo en marcha, mirando el suelo para ver si había alguna huella; era un buen observador y en la Tierra podía seguir el rastro de cualquier animal.

Cuando llevaban una hora caminando, empezaron a ponerse nerviosos.

–¿Y si no los encontramos? –dijo Tomi.

–No te preocupes, seguro que los encontraremos. Kumara confía en nosotros.

–Oye, Naga, tengo una idea: ¿sabes imitar el sonido que hacen los unicornios?

–¡Espera y verás! –contestó entusiasmada.

Naga se puso la mano en la boca y emitió una especie de relincho agudo, muy parecido al que hacían los unicornios, y entonces sucedió algo mágico: un relincho igual respondió a la llamada.

–¡Naga, repite el sonido! Me parece que viene de allí –dijo Tomi señalando al oeste.

Y cada vez que Naga imitaba a los unicornios, su respuesta se oía más cerca.

–Cada vez se oye mejor; es buena señal –dijo Tomi.

–Tú mira las huellas –le pidió Naga–. Entre los dos los encontraremos.

Al tomar una curva del camino, vieron a la manada de unicornios bebiendo en el río.

Tomi se quedó extasiado y pensó en sacar su grabadora, pero no se atrevió a hacer ningún movimiento que pudiera asustarlos de nuevo. Entonces Naga se acercó lentamente y se quedó inmóvil, mirándolos. Al cabo de un minuto, sin decir una sola palabra, dio media vuelta y, para sorpresa de Tomi, los unicornios comenzaron a seguirla, como si los hubiera hipnotizado.

Él no dijo nada y caminó junto a ella sin atreverse a mirar hacia atrás, aunque por el sonido de sus pisadas sabía que los estaban siguiendo. Cuando por fin llegaron al centro del bosque, Naga y Tomi se sintieron muy contentos por haber cumplido la misión que Kumara les encargó, pero a Tomi le rondaba una pregunta: ¿cómo había conseguido Naga que los unicornios le hicieran caso?

—Espera un momento —le dijo Naga—. Voy a despedirme de ellos y a explicarles de dónde ha salido el animal que los asustó; como nunca han visto un perro, les diré que no es peligroso para que no huyan si vuelven a encontrarse con él.

Naga los miró los ojos y Tomi se dio cuenta de que no hablaba. ¿Tendría su amiga algún poder especial?

Un relincho de toda la manada marcó el final de la conversación y, en ese momento, el que parecía el mayor se acercó trotando hacia Tomi e inclinó la cabeza ante él. Tomi, emocionado, alargó la mano y lo acarició, pidiéndole a la vez disculpas por haber llevado a Suan al bosque.

—Aceptan tus disculpas y nos dan las gracias por haber ido a buscarlos.

—Pregúntales si los puedo grabar. En mi planeta no existen los unicornios y me gustaría tener un recuerdo de ellos.

—Dicen que sí, y que ellos también te recordarán.

Tomi sacó la grabadora para recoger aquel momento mágico. ¡Cómo iban a envidiarle sus amigos!, pensó.

—¿Qué es envidiar? —le preguntó Naga.

Y en ese momento se dio cuenta de que su amiga podía leerle el pensamiento.

—Ya te lo explicaré después —contestó, un poco molesto.

—No te preocupes, Tomi; no siempre puedo hacerlo. Con los animales me resulta más fácil, pero con las personas me cuesta más. Además, sería una falta de respeto, así que tranquilo, solo ha sido en esta ocasión.

Tomi y Naga dejaron atrás a los unicornios y corrieron hacia la ciudad buscando a Paula y a Kumara para contarles la buena noticia.

—Hacemos un buen equipo, ¿eh? —dijo Tomi mientras le guiñaba un ojo a su amiga.

—¡Claro que sí! —contestó ella.

No habían comido nada y tenían mucha hambre, así que fueron juntos al comedor y les contaron a sus compañeros lo que había pasado con Suan y los unicornios. Estaban tan emocionados que no podían esperar a la noche para compartir su aventura.

⤜ El viaje de las mariposas ⤛

Cuando Telma anunció que tenían la tarde libre, todos gritaron a coro:

—¡Bien!

Su reacción era comprensible porque los aprendices de la Tierra sentían mucha curiosidad por conocer Olaris y sus alrededores, mientras que sus anfitriones estaban deseando enseñarles su ciudad. Así que, en cuanto terminaron de comer, se formo un gran revuelo ante los atractivos planes que los unos proponían a los otros.

Naga propuso enseñarles un lugar donde descansaban las mariposas después de un largo viaje desde diferentes lugares de Pegasus, y Tomi, sin dudarlo, se apuntó a la excursión, a la que se añadieron Nadia y Luca.

A Nadia le interesaba mucho pintarlas, y eso a Luca le llamó la atención.

—¿Para qué quieres pintarlas si las puedes grabar? Vaya esfuerzo más tonto.

—Ya sé que puedo grabarlas, pero a mí me gusta pintar.

—Pues yo quiero grabar todas las alas de las mariposas para ver si son parecidas a las que tenemos en nuestro planeta. Después compararé sus tamaños, formas, colores...

Naga le interrumpió:

—Venga, chicos. Tenemos que salir ya para poder volver antes de que se haga de noche.

Cogieron sus mochilas y se pusieron a caminar detrás de Naga, que sabía muy bien el camino; pero Tomi tenía muchas preguntas en la cabeza.

—¿Tú sabes si allí habrá crisálidas?

—Supongo que sí, y a lo mejor, si tenemos suerte, podemos ver a una mariposa romper su capullo e intentar volar. ¡Es fantástico! —dijo Naga.

—Pues yo no veo qué tiene de fantástico; es un proceso natural y ya está —añadió Luca.

Nadia no estaba de acuerdo y le contestó:

—Es natural, pero a la vez mágico. ¿Cómo es posible que un gusano se convierta en mariposa? Yo he tenido en casa gusanos de seda para observar los cambios, y os aseguro que aún no entiendo cómo sucede.

Siguieron caminando, rodearon el bosque multicolor y Luca aprovechó para grabar aquellos árboles que le habían llamado la atención desde que llegó, mientras Nadia dibujaba alguno de ellos.

Pero el tiempo corría y decidieron no hacer más paradas hasta llegar al lugar de encuentro de las mariposas. Solo disminuían el ritmo de su marcha de vez en cuando para admirar los hermosos paisajes de Olaris.

De pronto, Naga empezó a correr y todos le siguieron por una empinada cuesta. Al llegar a lo más alto, exclamaron:

—¡Ah! ¡Qué bonito!

Ante sus ojos se extendía un inmenso valle lleno de flores, que casi no se veían por la cantidad de mariposas que revoloteaban entre ellas. Era difícil decidir qué colores eran más bonitos, si los de las flores o los de las mariposas.

–Merece la pena la caminata, ¿verdad? –preguntó Naga sin esperar respuesta.

–¿Cuántas mariposas habrá en el valle? –preguntó Luca.

–Pues no creo que podamos contarlas –contestó riendo Nadia–. Pero sería bueno grabar esta vista para enseñársela a nuestros compañeros; si no, a lo mejor piensan que somos unos exagerados.

Luca sacó la videocámara y tomó una vista panorámica. Cuando terminó, siguieron el camino de descenso hasta el valle. No les costó mucho bajar, pues la pendiente era bastante suave, y muy pronto se encontraron cerca del lugar donde terminaba el largo viaje de las mariposas.

–Ahora debemos estar en completo silencio para no asustarlas. Es mejor que nos sentemos aquí –dijo Naga señalando un lugar donde la hierba casi los cubría.

–Me encantaría verlas de cerca –dijo Tomi.

Y en cuanto se quedaron quietos, las mariposas se fueron acercando a ellos revoloteando entre sus cabezas.

Sus alas eran preciosas: violetas y verdes, naranjas y azules, algunas completamente blancas y otras llenas de motas de todos los colores del arco iris. Pero lo que más les llamó la atención fue su tamaño, más parecido al de un pájaro terrestre que al de una mariposa.

Nadia sacó su cuaderno y se puso a pintar la que tenía más cerca. Luca conectó su videocámara para que pudiera captar todo lo que pasaba ante sus ojos. Solo Tomi se alejó reptando entre la hierba sin que los demás se dieran cuenta.

Y allí estuvieron durante un buen rato, hasta que Naga les dijo:

–Creo que ahora debemos regresar, para llegar a Olaris antes de que se haga de noche.

Tomi, al ver que se marchaban, se unió al grupo. Llegaron a la cima de la colina, desde donde volvieron a contemplar aquella preciosa vista.

De pronto, Naga se puso seria: una nube de miles de mariposas los seguía a gran velocidad. Aquello no era normal; por eso les dijo:

–Esto es muy extraño, nunca he visto nada parecido. ¿Alguno de vosotros sabe por qué nos siguen las mariposas? Tiene que haber una razón.

–A lo mejor les hemos caído bien –dijo Luca, un poco nervioso.

Las mariposas los alcanzaron y revolotearon alrededor de ellos. Entonces, Tomi bajó la cabeza, avergonzado, y dijo:

–Yo solo he cogido una para mi colección...

–¿Cómo? ¿Tu colección de qué? –preguntó Naga, extrañada.

–Mi colección de mariposas...

Tomi no se atrevía a mirarla a la cara.

–Pero ¿te das cuenta de lo que has hecho? Ahora lo comprendo todo: ellas no se irán sin su compañera; por eso están aquí.

—Bueno, yo también soy culpable –dijo Luca–. Pedí a Tomi que me la dejara cuando llegáramos a la Tierra para enseñársela a mi padre, que es biólogo.

Mientras Luca compartía su culpa, Tomi abrió una lata y la mariposa salió volando.

Durante el resto del camino, nadie habló, hasta que Naga dijo, muy seria:

—Creo que es mejor que guardemos el secreto de lo que ha pasado. Pero no olvidéis que son seres vivos y merecen nuestro respeto. ¿Imagináis que alguien hiciera eso con nosotros?

Todos estuvieron de acuerdo y, mientras caminaban hacia Olaris, comentaron el comportamiento solidario de las mariposas al seguir a su compañera secuestrada.

Nunca iban a olvidar la experiencia de aquella tarde.

Ficha para padres

Haced salidas al campo con frecuencia y observad con él los distintos elementos de la naturaleza.

Ayudadle a fijarse en el cielo, a predecir el tiempo y a observar las manifestaciones de las diferentes estaciones.

Valorad el entorno natural y respetad cualquier forma de vida.

Explicadle lo importante que es respetar y conservar el planeta, y sobre todo su entorno más cercano, animándole a reciclar.

Podéis iniciar una colección de minerales, de semillas u hojas, ayudándole a descubrir sus diferencias y semejanzas.

Desarrollad sus capacidades de observación y experimentación en el mundo natural a través de la creación de un pequeño huerto.

Elogiad su conducta cuando esté cuidando de su mascota o de las plantas de la casa.

También podéis hacer lo siguiente:

 Después de leer el cuento *En busca de los unicornios*, podéis jugar con vuestro hijo a imitar sonidos de diferentes animales.

 Pedidle que dibuje un unicornio en un bosque o que busque imágenes donde aparezca. ¿Le gustaría ver uno de cerca, como Tomi? ¿Qué le diría si pudiera comunicarse con él?

 ¿Qué hubiera hecho él para encontrar a los unicornios? ¿A quién habría elegido para que le acompañara? Comentad cómo los dos amigos, ayudándose, consiguen encontrar a los unicornios y hacer que regresen.

 Después de leer *El viaje de las mariposas*, pedidle que dibuje mariposas con los colores de las alas que aparecen en el cuento.

 ¿Qué le parece lo que hizo Tomi al capturar una mariposa? ¿Qué hubiera hecho él? Podéis inventar lo que hubiera pasado si no deja marchar a la mariposa, y continuar el cuento.

 Podéis hacer una excursión al campo y comentar con él cómo viven los animales. Si es posible, coged gusanos de seda para que vuestro hijo pueda observar su transformación en mariposas.

 Jugad a ser exploradores y a seguir el rastro de algún animal. Para ello, le podéis enseñar huellas de diferentes animales y luego dejarlas en diferentes lugares de la casa para que las encuentre e identifique al animal.

❧ *Inteligencia lingüística* ❧

Es la capacidad de manejar y estructurar los significados
y las funciones de las palabras, con el fin de comunicarse y expresar
el propio pensamiento y dar un sentido al mundo mediante
el lenguaje. Está relacionada con la lectura y la escritura, así como
con la escucha y el habla. Comprende la sensibilidad para los sonidos
y las palabras, con sus matices de significado, su ritmo y sus pausas.

Es la inteligencia de las personas a las que les gusta generar
un clima que favorece la charla amena y sugerente, que captan
la atención de quienes las rodean, incluso a través del debate.
Algunas aprenden palabras para clasificar objetos y describir
sus propiedades, mientras que otras están más preocupadas
por la expresión de sentimientos o deseos y tienden a centrarse
en las interacciones sociales.

Está presente en los niños a los que les encanta redactar historias,
leer, jugar con rimas y trabalenguas, y en los que aprenden con facilidad
otros idiomas. Estos niños suelen aprender a leer temprano o escriben
correctamente en cuanto aprenden. Disfrutan escribiendo, leyendo,
narrando historias o, incluso, resolviendo crucigramas o sopas de letras,
donde ponen en juego su riqueza de vocabulario.

Son imaginativos contando historias y muestran mucho interés
en explicar cómo funcionan las cosas. Les gusta aprender nuevos
vocablos y los usan de forma adecuada, aunque a sus iguales
les pueda parecer que hablan de una forma un tanto pedante.
Memorizan con facilidad relatos, poemas y canciones.

Profesiones en las que está presente: locutores de radio,
presentadores de televisión, conferenciantes, abogados, secretarios,
profesores, traductores, guías turísticos, políticos, escritores,
poetas, editores, cantautores, cuentacuentos, periodistas...

⤙ *El concurso de cuentos* ⤙

Aquella mañana se notaba cierto nerviosismo entre los aprendices de la Tierra.

Ray acababa de abrir el sobre donde estaba escrita la actividad prevista para ese día y se lo había leído a sus aprendices: un concurso de cuentos.

Ante la noticia, cada uno había reaccionado de una forma diferente. Keiko, Nadia Linda y Kamal habían gritado de alegría porque les gustaba mucho inventar historias, pero a otros compañeros les costaba un poco más.

Sin embargo, entre los aprendices de Pegasus la reacción fue bien distinta: todos se dirigieron a una sala de su centro de aprendizaje a la que llamaban "la incubadora". Solían retirarse a ese lugar cuando necesitaban inventar o crear algo, pues habían aprendido cómo despertar su imaginación: cerraban los ojos y dejaban volar su mente mientras escuchaban una música relajante y un aroma a limón se esparcía por la sala.

—A ver qué se os ocurre, aprendices —les dijo Ray—. Ya sabéis que lo importante no es ganar, sino participar en el concurso, así que mucho ánimo y a empezar.

—¿Solo hay un premio? —preguntó Keiko.

—Bueno, en realidad no lo sabemos; puedes preguntárselo a Telma, si quieres.

–¿Y se puede escribir entre varios? –preguntó Linda.

–Podéis hacerlo como queráis, pero ya sabéis que al atardecer tiene que estar terminado, así que os sugiero empezar cuanto antes.

Algunos aprendices miraron a otros como buscando ayuda, pero solo Linda estaba dispuesta a formar un grupo, así que Lucía y Tomi se fueron con ella. A ellos no se les daba muy bien inventarse cuentos, pero Linda tenía mucha imaginación.

Cada aprendiz se fue hacia un lugar diferente donde poder inspirarse y escribir. Unos miraban las nubes esperando que llegara alguna idea, otros paseaban con su cuaderno en la mano... Pero los aprendices de Pegasus habían salido ya de "la incubadora" y escribían sobre una pantalla digital. Sus risas se podían oír desde lejos, señal de que estaban disfrutando con la experiencia.

Llegó el atardecer y con él terminó el plazo para la presentación de los cuentos.

Ray, Paula, Telma y Kumara se colocaron en la entrada al salón de encuentros con una bandeja para recoger los relatos.

Como eran los invitados, los aprendices de la Tierra fueron los primeros en entregarlos. Algunos depositaban su cuento en la bandeja, muy sonrientes; otros, en cambio, lo hacían con cara de resignación, mostrando su descontento con el resultado. Solo Nacho y Bao se quedaron sin participar, pues no habían conseguido terminarlo a tiempo.

Después les tocó el turno a los aprendices de Pegasus, que solo entregaron un cuento.

¿Por qué solo habían escrito un cuento?, se preguntaban sus compañeros de la Tierra ¿Por qué todos sonreían cuando uno de ellos lo dejó sobre la bandeja? ¿Es que no tenían imaginación, o solo a uno de ellos se le daba bien escribir cuentos?

Y cuando todos los cuentos estaban entregados, Kumara les dio la respuesta.

—Aprendices de la Tierra, veo en vuestras caras una gran sorpresa. Leeremos con atención todos vuestros cuentos, pero debéis saber que en Pegasus nuestros aprendices a menudo trabajan en equipo, pues saben que pueden salir cosas muy interesantes cuando se combinan diferentes ideas. Estoy seguro de que en el cuento hay frases e ideas de cada uno de ellos, pero disfrutan cuando lo ven terminado. Por eso, si su cuento es el ganador, todos ganan, pero si no consiguen el premio, en parte ya lo han recibido, pues han disfrutado mucho mientras lo inventaban.

Keiko se quedó muy sorprendida, pues ella quería el premio solo para ella. ¿Cómo era posible que no tuvieran interés en ganar?

Sin embargo, a Linda le pareció una idea magnífica y dijo:

—Nosotros hemos hecho algo parecido. Entre Lucía, Tomi y yo hemos escrito un cuento. Si ganamos, nos repartiremos el premio.

Telma soltó una carcajada mientras decía:

—Cuando sepáis en qué consiste el premio, os daréis cuenta de que no se puede repartir.

Pero Luca no lo veía de la misma manera y se quedó pensativo.

—Bueno, en realidad, a menos cuentos, más posibilidad de ganar...

Ahora solo quedaba esperar la decisión del jurado, y hasta los más desmotivados estaban nerviosos, ya que sentían curiosidad por conocer el premio aunque no pensaran ganarlo.

Después de que los miembros del jurado leyeron todos los cuentos, volvieron a reunirse y Telma, con voz muy solemne, dijo:

—El aprendiz ganador del concurso de cuentos es...

Se hizo un silencio absoluto, aunque los corazones de todos los aprendices latían con fuerza.

–¡Keiko!

Un fuerte aplauso acompañó a Keiko mientras se acercaba
a recoger el premio que le entregaba Telma en un sobre. Lo abrió
nerviosa y, mientras lo leía, lanzó una tremenda carcajada.
Ahora comprendía por qué había hecho aquel comentario.

–¡Que lo lea! ¡Que lo lea! –corearon todos a una.

–Como Telma dijo, este premio no se puede repartir. Es un viaje
a la mayor biblioteca de cuentos de Pegasus. Allí dejaremos una copia
de los cuentos que hemos escrito para que cualquier persona
los pueda leer.

–Como veis, es un premio para todos. ¿Qué os parece? –preguntó Ray.

–¡Bien! ¡Muy bien! –contestaron entusiasmados.

–¿Y cuándo vamos a ir allí? Estoy deseando conocerla –preguntó Linda.

–Todavía no está fijada la fecha, pero seguro que será antes
de vuestro regreso a la Tierra.

Los aprendices salieron del salón de encuentros y cada uno
se marchó con sus amigos a charlar antes de la cena, pero Paula
fue detrás de Nacho y Bao, que caminaban cabizbajos.

–Lo siento, chicos –les dijo–. Sé que no se os da bien escribir,
pero se me ocurre una idea. ¿Por qué no dibujáis las ilustraciones
para el cuento de Keiko? Seguro que le hace mucha ilusión, y así
dejaréis algo vuestro en la biblioteca de cuentos.

Nacho y Bao sonrieron, porque les encantaba dibujar, y sin perder ni un
minuto, buscaron a Keiko para pedirle el cuento y preparar sus dibujos.

Esa noche, los dos se acostaron un poco más tarde que de costumbre:
no sabían cuándo sería el viaje y querían tener terminado su trabajo
para ese gran día.

Keiko y las palabras voladoras

Comenzaba la tarde y a esa hora el aire se llenaba de un maravilloso olor a flores del jardín que rodeaba el centro de aprendizaje.

Fénix daba un paseo pensativo mientras Keiko le seguía de cerca; quería preguntarle algo, pero no sabía si le iba a molestar. Por fin se decidió.

–Hola, Fénix, quería hacerte una pregunta. ¿Es buen momento?

–Sí, claro, solo estaba paseando; así me vienen ideas.

Entonces vio que Fénix tenía un cuaderno digital en la mano.

–¿Estás escribiendo un cuento? –le preguntó Keiko, extrañada.

–Bueno, en realidad es un guion para una película.

Keiko no salía de su asombro. Ella había aprendido a escribir con facilidad y se le daba bien leer, pero de eso a inventarse un guion para una película, había una gran diferencia.

–¿Qué me querías preguntar? –le dijo Fénix.

–Me gustaría saber si puedo entrar en "la incubadora". Nacho ya la ha probado y me ha dicho que es muy emocionante.

–Por mí no hay problema, pero llamaré a Luna, porque ella sabe mejor que yo cómo funciona.

–¡Estupendo! ¿Y cuándo quedamos?

—Si quieres, vamos ahora mismo; no creo que nadie la esté usando en estos momentos.

Fénix fue a buscar a Luna mientras Keiko, en la puerta del centro, pensaba que si en la incubadora se le ocurrían buenas ideas, quizás pudiera escribir una novela o, por lo menos, un cuento.

Al cabo de un rato, vio que Fénix se acercaba con Luna y Lucía, que también se había apuntado al enterarse de lo que iban a hacer.

Una vez dentro de la "incubadora", Luna les dijo:

—Ahora cerramos los ojos, nos relajamos y solo nos concentramos en la música. Como estos asientos son muy cómodos, podremos estar un buen rato sin movernos. Eso es muy importante para que las ideas nos lleguen bien. ¿Queréis preguntarme algo antes de empezar?

—Yo quería saber si puedo escribir aquí dentro. A lo mejor al salir se me olvida todo lo que he imaginado —preguntó Keiko.

Fénix se rio y le dijo:

—No te preocupes, tú solo relájate y deja volar tu imaginación; nada más.

Lucía también tenía una pregunta.

—¿Y si me quedo dormida y después no recuerdo nada? Casi nunca me acuerdo de mis sueños.

—No creo que te duermas, aunque te lo parezca —le aseguró Luna.

De pronto, la puerta se cerró y los cuatro quedaron en penumbra mientras una música suave sonaba en el interior de la sala y un olor a limón se esparcía por el aire.

Keiko se relajó y en unos minutos comenzó a sentir su cuerpo flotando, como si estuviera en una nave espacial. Y en ese estado se encontraba cuando, de pronto, cientos y cientos de palabras aparecieron por todas partes flotando ante ella, empujadas por el viento. Había palabras y también frases inacabadas que la invitaban a jugar con ellas, como si quisieran que las combinara adecuadamente.

Keiko, en un estado de duermevela, se levantó y cogió una frase al aire que le gustó: "Había una vez un misterioso castillo...". Sí, podía empezar así su relato.

Lo que no se esperaba era que de repente apareciera ante ella un castillo lúgubre y ruinoso, con una puerta totalmente cubierta de telarañas y miles de murciélagos volando a su alrededor. Y ahora, ¿qué debía hacer? ¿Buscar otras palabras para continuar su relato, o entrar en el castillo?

El viento seguía arrastrando letras y palabras, palabras y frases, hasta que una de ellas llamó su atención.

Decía: "Entra y descubre...".

Entonces Keiko entró por aquella puerta, a pesar del asco
que le daba que las telarañas se enredaran en su pelo. ¿Qué habría
dentro? Parecía abandonado; sin embargo, oyó una voz lejana
y decidió explorar el misterioso castillo por si encontraba a alguien.
Necesitaba más ideas, más palabras o frases, y volvió a mirar
con atención aquellas que pasaban volando ante sus ojos y le gustó
una palabra en especial: "cofre".

Así que había un cofre... Tenía que encontrarlo y descubrir
lo que había en su interior. Y al instante, un magnífico cofre cubierto
de piedras preciosas apareció flotando ante ella. Entonces Keiko
intentó abrirlo, pero, de repente, de su interior salió una humareda
blanca en la que apareció la imagen de un anciano mago. Y Keiko
no necesitó buscar más palabras en el viento, porque en su mente
ya se estaba creando una historia emocionante sin necesidad de más
ayuda que su propia imaginación.

Mientras, Fénix y Luna construían entre los dos una historia
de aventuras en la Tierra, con las cosas que sus amigos les habían
contado sobre su planeta. Solo tenían que imaginar algo y aparecía
en su mente con tanto realismo que a punto estuvieron de gritar
cuando se encontraron por sorpresa con un gigantesco dinosaurio.

A Lucía le faltó muy poco para dormirse, aunque en su mente
quedó grabada su experiencia: había visitado el fondo del mar,
donde una sirena le había regalado una perla preciosa;
pero lo que más le gustó fue nadar entre los peces de colores.

—¡Qué pena que no sea real! —les dijo al salir de la "incubadora"—.
Me hubiera gustado enseñaros todo lo que he visto.

—Pues a mí me hubiera gustado traerme el cofre; era precioso
—añadió Keiko.

Además, el mago le había contado el secreto del castillo y, como nadie más lo sabía, ella era la responsable de que volviera a recuperar su antiguo esplendor.

–¿Os ha gustado la experiencia? –les preguntó Fénix después de escuchar sus historias.

–¡Ha sido maravillosa! Yo ya tengo una historia inventada. Ahora solo tengo que escribirla para que no se me olvide –dijo Keiko, y se fue a un rincón con su cuaderno.

–Luna y yo hemos vivido una aventura en la Tierra. ¿Queréis que os la contemos? –dijo Fénix.

–Si no os importa, esperad a que Keiko y yo escribamos nuestras aventuras, para que no se nos olviden –sugirió Lucía.

Y cuando terminaron de escribir sus relatos, Fénix y Luna les contaron sus aventuras en la Tierra y se rieron mucho del susto que se llevaron cuando apareció el dinosaurio.

Los cuatro salieron al jardín y pasearon al sol durante un rato; al despedirse, Keiko les dijo:

–La pena es que en nuestro planeta no tenemos "incubadora"… Voy a pedir a Luca y a Bao que pregunten cómo se puede construir una. A lo mejor, si les dais los planos, lo pueden hacer.

Pero Luna les contestó:

–Lo más importante es que todos tenemos imaginación y, si aprendéis a relajaros bien, como hemos hecho hoy, estoy segura de que vais a inventar magníficas historias.

Aquella experiencia dio a Keiko ganas de seguir escribiendo, y a menudo se la veía pasear en sus ratos libres en busca de nuevas ideas para sus cuentos, mientras disfrutaba de sus días en Olaris y hacía nuevos amigos.

Ficha para padres

Si queréis que vuestro hijo desarrolle la inteligencia lingüística, debéis tener en cuenta los siguientes aspectos:

⌇ Es bueno que todos los días habléis un rato con él y le escuchéis con respeto. Procurad que comparta con vosotros sus experiencias.

⌇ Utilizad un lenguaje adecuado a su edad, pero con riqueza de vocabulario.

⌇ Animadle a escribir un diario si ya sabe hacerlo. Si no, que todos los días escuche algún cuento o se invente uno diferente y os lo cuente a vosotros.

⌇ Explicadle el porqué de las cosas, incluso si él no pregunta.

⌇ Si está aprendiendo un segundo idioma, dejadle *post-it* con palabras pegados al objeto al que hagan referencia.

⌇ En las celebraciones familiares, podéis pedirle que haga un pequeño discurso.

⌇ Animadle a usar la biblioteca más próxima a vuestra casa o a intercambiar libros o tebeos con sus amigos.

También podéis hacer lo siguiente:

✐ Jugad con trabalenguas, sopas de letras y juegos en los que se deban utilizar palabras o haya que describir algo.

✐ Después de leer *El concurso de cuentos*, podéis inventaros uno entre todos. Que cada uno aporte una frase, una idea, y así será "vuestro" cuento.

✐ Preguntadle en qué equipo le hubiera gustado estar, si con los aprendices de la Tierra o con los de Pegasus. ¿Por qué?

✐ Jugar a completar diferentes frases. Por ejemplo: ¿Qué harías si se fuera la luz? ¿Qué harías si te perdieras?

✐ Grabad el discurso de agradecimiento que daría si él hubiera ganado el concurso de cuentos.

✐ Después de leer el cuento *Keiko y las palabras voladoras*, podéis preguntarle qué hubiera hecho al aparecer el castillo. ¿Habría entrado? ¿Qué palabras habría elegido para continuar el cuento?

✐ Comentad con él lo importante que es utilizar la imaginación para inventar historias. Animadle a que elija un cuento y lo termine de forma diferente. Puede ponerle un título nuevo y, si le gusta, dibujar las ilustraciones.

❧ *Inteligencia intrapersonal* ❧

Es la capacidad para comprenderse a sí mismo, acceder
con facilidad a la propia vida emocional, reconociendo las propias
emociones y sentimientos. Implica tener claridad sobre las razones
que llevan a reaccionar de un modo u otro y comportarse de una
manera que resulte adecuada a las necesidades, metas y habilidades
personales. Permite el acceso al mundo interior, para luego
aprovechar la información que aporta y, a la vez, orientar
la experiencia.

Es la inteligencia de las personas que se conocen a sí mismas,
reconocen sus sentimientos y les pueden poner nombre, entienden
cómo los sentimientos guían sus acciones, son perseverantes,
reconocen sus talentos y toman con naturalidad sus limitaciones.
Aprenden de sus errores, toman buenas decisiones y son muy
disciplinadas.

Está presente en los niños que son reflexivos, de razonamiento
acertado, y suelen ser buenos consejeros de sus pares. Suelen hacer
preguntas profundas, elaboran buenas reflexiones, tienen mucha
imaginación y a veces están en su mundo.

El niño que posee esta inteligencia se concentra en las tareas
que se propone. Prefiere trabajar solo a trabajar en grupo.
Es independiente, crítico, tiene su propia motivación y no depende
mucho del exterior. Siempre encuentra recursos, tiene confianza
en sí mismo y es capaz de expresar cómo se siente. Es creativo,
soñador e imprime a sus tareas un toque personalizado.

Profesiones en las que está presente: filósofos, líderes religiosos,
analistas, escritores, artistas, teólogos, asesores, psicólogos...

⤙ Una cueva llena de sorpresas ⤚

Los alumnos de la Tierra lo pasaban muy bien en Olaris. Las actividades que les proponían eran divertidas y, además, sus compañeros de Pegasus eran muy atentos con ellos.

Pero casi siempre estaban en grupo, y Nacho necesitaba un poco de tiempo libre para estar solo, soñar y pensar.

—Nacho, ¿te pasa algo? —le preguntó Luna al ver su cara esa mañana.

—No, no me pasa nada, pero hoy me gustaría hacer algo solo.

Luna sonrió. Le comprendía muy bien porque ella también necesitaba, de vez en cuando, estar sola; por eso le dijo:

—¿Quieres que le pidamos permiso a Ray para hacer una excursión los dos solos? Me gustaría llevarte a un sitio que te va a encantar.

Por suerte, Telma anunció que la mañana quedaba libre para conocer los alrededores de la ciudad.

Luna y Nacho salieron de la ciudad y tomaron un camino que llevaba hasta la cima de una montaña de extraños colores. Caminaron en silencio durante un buen rato, pues los dos se sentían a gusto sin necesidad de hablar, lo que para algunos de sus compañeros era incomprensible.

Nacho estaba tan ensimismado en sus pensamientos que no se dio cuenta de que la pendiente por la que subían terminaba de repente.

—Ya hemos llegado, es aquí —dijo Luna mientras se sentaba sobre una piedra a descansar.

—¡Qué vista tan bonita de la ciudad! ¿Aquella cúpula es el centro de aprendizaje?

—Pues sí, menuda vista tienes. ¿Y ves aquella de color azul turquesa?

—Sí, ¿qué es?

—Es el centro de arte —contestó Luna—. Allí vamos un día a la semana y lo pasamos fenomenal.

—¿Y qué hacéis allí? ¿Pintar?

—Bueno, no solo eso. También escribimos, escuchamos música, cantamos, hacemos esculturas y nos enseñan a descubrir cómo ser artistas en cualquier actividad. A mí me gusta sobre todo imaginar formas en las nubes que luego pinto, y también escribir un diario.

—Pues en mi planeta el arte no es una asignatura importante. Además, no todos podemos ser artistas, solo unos pocos...

Luna, sorprendida por su comentario, le preguntó:

—¿Quién dice eso? En Pegasus nos preparan para ver el arte en todo: en la naturaleza, en los números, en las palabras, en los colores... Todos podemos aprender, aunque cada uno tenga más facilidad para ser artista en un campo. Fénix, por ejemplo, escribe unas poesías preciosas; Lira sabe ver la belleza en los números, y Sirio pinta unos cuadros que a mí me encantan.

Nacho no dejaba de sorprenderse por las diferencias que encontraba entre su mundo y el que empezaba a conocer, pero algo en su interior le decía que Luna tenía razón.

—Bueno, y ahora te voy a enseñar uno de mis lugares preferidos. Yo vengo a menudo aquí a pensar, sobre todo cuando tengo algún problema o quiero estar sola. ¡Sígueme!

Justo donde terminaba el camino, en la pared de la montaña había una grieta por la que Luna pasó sin dificultad, y él la siguió.

—Prepárate, porque vas a ver una de las cuevas más bonitas de Olaris. La llamamos "la cueva de los cristales" porque en su interior hay un montón de ellos.

Caminaron durante unos minutos por un estrecho pasadizo que se iba ensanchando hasta terminar en una enorme cueva llena de gigantescos cristales.

Nacho estaba emocionado. Nunca había visto algo parecido, y pensaba en la suerte que tenía al poder tocar aquella obra que la naturaleza había realizado durante millones de años.

—Deben de ser piedras preciosas; en mi planeta se llaman así.

—Pues claro que son preciosas, ¿no las ves? —contestó Luna riendo.

De pronto, Nacho sacó de su mochila un pequeño martillo y dio un golpe a uno de aquellos cristales, rompiendo una de sus puntas.

Luna, al verle, gritó:

—¡Noooooo! ¿Pero qué has hecho?

Y mientras su voz retumbaba por toda la cueva, del cristal roto salió un extraño ser que se detuvo flotando ante los ojos de Nacho.

Nacho se quedó petrificado. ¿Sería un mago que venía a castigarle?

Luna se puso delante de él y le dijo:

—Lo siento, mi amigo es de la Tierra y allí aún no saben que los cristales tienen guardianes que los protegen.

Nacho temblaba de miedo y solo se le ocurrió decir en su defensa:

—Quería llevarle un trozo a una amiga; a ella le gustan mucho...

Entonces, el ser le dijo:

—Has hecho daño a mi cristal. Deberías comprender el tiempo que la naturaleza ha tardado en crear esta forma tan perfecta.

—Lo siento mucho, de veras. ¿Qué puedo hacer ahora? Si quieres, te devuelvo el trozo que he cogido —le dijo Nacho mientras extendía su mano.

No le salía la voz del miedo que sentía; pero, de pronto, aquel ser se acercó a él y le abrazó, y entonces el miedo desapareció y se quedó tranquilo.

—Y ahora cierra los ojos, pequeño aprendiz de la Tierra. Quiero enseñarte algo.

Y así, en sus brazos, como si estuviera en un sueño, Nacho se vio en el interior de aquel cristal. Vio cómo crecía y se formaban sus aristas, como aquel ser lo cuidaba con el mismo cariño con el que una madre cuida a su hijo, y le dieron ganas de llorar.

Nacho no podía verlo, pero cada lágrima que caía sobre el cristal dañado lo iba reparando poco a poco, hasta que al final volvió a quedar perfecto.

–Abre los ojos –le dijo el guardián–. He sentido tu arrepentimiento y por eso has tenido la oportunidad de reparar tu falta. De no haber sido así, la entrada de la cueva se hubiera cerrado y te habrías quedado en ella durante el tiempo suficiente como para pensar en lo que habías hecho.

Y añadió:

–Recuerda, aprendiz: todo tiene vida, aunque tú no seas capaz de verla, y debes respetarla. He visto que tienes un mundo interior muy rico; nunca dejes de cuidarlo, como yo cuido de mi cristal. Y para que lo recuerdes siempre, toma.

Nacho extendió la mano y aquel ser depositó en ella un pequeño cristal de color verde esmeralda.

–Cuando lo mires, recordarás... Adiós.

La cueva quedó de nuevo en silencio y los dos regresaron a Olaris, impresionados por la experiencia que habían vivido.

A Nacho le hubiera gustado contar a sus amigos su aventura, pero Luna le había pedido que aquel fuera su secreto. No podían decir dónde habían estado ni hablar de la existencia de aquellos gigantescos cristales, y mucho menos del guardián.

Y cuando se volvieron a encontrar con los demás, ninguno de los dos podía dejar de mirarse y sonreír, como si aquella experiencia los hubiera unido en un mágico hechizo.

⤝❖⤜ *El secreto de la biblioteca* ⤝❖⤜

Cuando Telma anunció
que esa tarde visitarían
la gran biblioteca de cuentos,
Nacho y Bao se pusieron muy nerviosos
porque todavía no habían terminado
las ilustraciones para el cuento de Keiko.

–¿A qué hora vamos a salir? –preguntaron.

–Después de comer, así que aún tenéis tiempo –contestó ella.

Sin perder un minuto, se fueron corriendo al centro de arte, donde tenían el material necesario para terminar sus dibujos.

Mientras tanto, Paula y Ray se reunieron con Telma y Kumara.

–Creo que debéis decir a vuestros aprendices que van a encontrarse algunas sorpresas, pues no es una biblioteca solo llena de cuentos –dijo Telma.

–Bueno, en realidad se parece muy poco a vuestras bibliotecas. Mucha gente acude a leer relatos antiguos o modernos, pero hay quien va también a consultar otras cuestiones personales –añadió Kumara.

–O sea, que en realidad el viaje no es solo para que lleven sus cuentos –dijo Ray.

–Claro que no –contestó riendo Telma–. Confío en que este viaje les sirva para descubrir cosas interesantes sobre ellos mismos.

La llegada de Bao y Nacho interrumpió la reunión.

—¿Pasa algo? Parecéis enfadados —dijo Paula al ver sus caras.

—Nacho tiene la culpa por haber dejado entrar a Suan —dijo Bao, indignado, mientras mostraba unas ilustraciones—. Cuando casi teníamos terminados los dibujos para el cuento de Keiko, Suan ha tirado un bote de pintura roja y mira lo que ha pasado.

—Ha sido un accidente —dijo Nacho, cabizbajo—. Suan ladraba tanto que le abrí la puerta; me daba pena dejarle solo.

—Bueno, chicos, estas cosas pasan a veces —dijo Paula intentando que se calmaran.

—¿Y ahora qué hacemos? Falta poco para salir y ya no nos da tiempo a hacer más dibujos —dijo Nacho, a punto de llorar.

—Yo creo que podéis darle a Keiko las ilustraciones que están bien; seguro que su cuento quedará muy bonito —les dijo Ray para animarlos.

Telma se acercó y les dio un consejo:

—Contadle a Sirio lo que ha pasado; seguro que puede salvar alguna parte de los dibujos y añadirlos al cuento.

Telma, Kumara, Paula y Ray continuaron su reunión mientras los dos aprendices salían corriendo para buscar a Sirio.

Llegó el momento de visitar la gran biblioteca de cuentos y todos estaban muy emocionados, cada uno con su cuento en la mano. Incluso Nacho y Bao estaban satisfechos de haber conseguido incorporar algunos dibujos al cuento de Keiko.

—Bueno, aprendices de la Tierra, vais a entrar en un lugar muy especial. Los habitantes de Olaris venimos aquí no solo a leer cuentos, sino sobre todo a aprender un montón de cosas importantes —dijo Telma.

El edificio era magnífico. A la entrada, un letrero escrito en diferentes idiomas decía: "A través de los cuentos, te conocerás mejor". Tenía una hermosa cúpula de cristales de colores, suelos brillantes como si fueran de acero y enormes estanterías llenas a rebosar de tablillas de barro, papiros, pergaminos, libros de papel, libros digitales y algo a lo que no supieron poner nombre.

—Estos son libros de cristal de cuarzo — explicó Telma—. En cada uno de ellos caben miles de historias, y además duran eternamente.

Pasearon durante unos minutos por sus largos pasillos hasta que llegaron a una sala llamada "Biografías" y Kumara les dijo:

—Ahora vamos a entrar aquí, aprendices, y os explicaré por qué es tan importante esta sala. Después vais a tener tiempo libre para buscar lo que queráis.

Los aprendices guardaron silencio y Kumara comenzó su explicación.

—Hace muchos, muchos años, los habitantes de Pegasus decidieron que cada persona mayor, antes de su muerte, debería dejar grabada la historia de su vida; así, los jóvenes podrían aprender de sus experiencias. Desde entonces, en esta sala se conservan miles y miles de historias personales, y todos los años se añade alguna. Por esta razón, cuando alguien tiene algún problema, suele venir aquí para recibir consejo. ¿Veis ese ordenador? —continuó mientras lo señalaba—. Contiene un de catálogo de temas. Solo tenéis que indicar el tema que os interesa y él os dirá en qué cristales podéis encontrar información. Después, para ver su contenido, se presiona la punta del cristal y ya veréis qué pasa. Ahora, tiempo libre.

Bao se fue directamente a consultar el catálogo y seleccionó la palabra "enfado", pues todavía estaba enfadado con Nacho y no sabía qué hacer.

Cogió los cristales que el ordenador le había indicado y se fue a un rincón, apretó la punta de uno de ellos y... ¡sorpresa! Ante él apareció la figura de una mujer que parecía real.

—Mi nombre es Alaya, viví hasta el 2027, después de 144 años de experiencias. Yo era una persona que de pequeña estaba casi siempre enfadada, me molestaba que las cosas no salieran como yo quería y me ponía de mal humor por cualquier tontería.

Afortunadamente, durante mi etapa de aprendiz me enseñaron una danza para salir del enfado. Es más o menos así...

Bao estaba fascinado. Aquella mujer estaba danzando ante él y, sin dejar de mirarla, aprendió con rapidez los pasos de la danza, pues se le daba muy bien bailar.

—Es muy importante que tomes aire mientras bailas los primeros pasos, y después lo expulses mientras golpeas con fuerza el suelo, como si estuvieras pisando algo muy duro; pero no se te olvide: al dar el pisotón, debes expulsar todo el aire que puedas.

Bao estaba deseando probar la danza, pero quería saber más cosas de Alaya, de modo que siguió escuchando su fascinante relato, en el que le mostraba nuevos trucos. A unos metros de él, Luca contemplaba la figura que salía del cristal; era un hombre, de apariencia joven, que le miraba sonriente. Su nombre era Uldrix y había vivido 137 años. El cristal se lo había señalado al seleccionar la palabra "amistad", porque a Luca le costaba hacer amigos.

—La amistad es muy importante. Yo dediqué toda mi vida a la investigación sobre los viajes intergalácticos y no me preocupé de hacer amigos. Por eso, cuando tenía algún problema, no sabía con quién hablar y lo pasaba muy mal. Menos mal que un mentor me ayudó. Pero escucha bien: no podemos ser amigos de todas las personas que conocemos; debemos elegir bien a los amigos. Para eso, lo primero que debes hacer es conocerte bien, y después...

Los consejos de Uldrix le vinieron muy bien a Luca, y salió de allí muy emocionado.

Y así, cada aprendiz encontró buenos consejos de las personas mayores, que los ayudaron a conocerse mejor.

La visita a la gran biblioteca de cuentos terminó con cada uno depositando su cuento en la sala de catalogación. Allí, dos personas de mediana edad (por lo menos en apariencia) recibieron con mucho cariño cada uno de los cuentos y registraron los datos personales de los autores.

Aquella visita fue muy importante para todos y, cuando regresaron del viaje, se sintieron muy orgullosos de haber dejado algo que ellos mismos habían creado y que, ahora, cualquier habitante de Pegasus podría leer.

Ficha para padres

Si queréis que vuestro hijo desarrolle la inteligencia intrapersonal, debéis tener en cuenta los siguientes aspectos:

Dadle la oportunidad de estar solo algún tiempo cada día.

Permitid que conecte con su mundo interior y ayudadle a poner nombre a sus emociones y sentimientos.

Aprovechad cualquier ocasión para dejarle tomar pequeñas decisiones después de pensar en ellas.

Procurad compartir con él experiencias emocionantes y momentos especiales.

Ayudadle a ponerse metas y objetivos realistas acordes con su edad y madurez y alabad su esfuerzo por conseguirlos.

Evitad las comparaciones con hermanos o compañeros, para que se sienta único y especial y crezca con una buena autoestima.

Cuando su comportamiento no sea el adecuado, dadle un tiempo para reflexionar sobre lo que ha hecho o dicho.

También podéis hacer lo siguiente:

~ Después de leer el cuento *Una cueva llena de sorpresas*, preguntadle qué hubiera hecho él si fuera Nacho. ¿Cómo se habría sentido al encontrarse con el guardián del cristal?

~ Haced juntos un dibujo de una cueva llena de cristales de colores y luego recortadlo para pegarlo en la pared de su cuarto. También puede dibujar al guardián tal y como se lo imagina.

~ Buscad en Internet las cuevas que estén más cerca de donde vivís y organizad una excursión para visitar una de ellas. Andad un rato en silencio y después comentad cómo os habéis sentido.

~ Después de leer el cuento *El secreto de la biblioteca*, preguntad a vuestro hijo sobre qué tema habría investigado. ¿Le parece bien que las personas mayores dejen grabadas sus experiencias?

~ Si tiene abuelos cerca, pedid a vuestro hijo que escuche algunas historias de su vida que le puedan contar, de cuando eran pequeños o de alguna aventura que pasaron. Si es posible, grabadla, y así tendrán un bonito recuerdo de ellos.

~ Inventad un nuevo cuento sobre aquella misteriosa biblioteca, algo que vuestro hijo encuentre allí y que le resulte sorprendente.

Inteligencia lógico-matemática

Es la capacidad para usar los números de manera efectiva y razonar adecuadamente. Incluye la sensibilidad a los esquemas y relaciones lógicas, las afirmaciones y las proposiciones, las funciones y otras abstracciones. Incluye la capacidad de moverse con comodidad por el mundo de los números y sus combinaciones, experimentar, preguntar y resolver problemas lógicos, explorar, pensar y emplear materiales y objetos para su manipulación.

Es la inteligencia de las personas que disfrutan especialmente con la magia de los números y sus combinaciones: les fascina emplear fórmulas, les encanta experimentar, preguntar, resolver enigmas y problemas lógicos.

Está presente en los niños a los que les gusta analizar y resolver problemas, hacer conjuntos y ordenar, y que se acercan a los cálculos numéricos con entusiasmo. A estos niños les gusta investigar, formular hipótesis y llegar a conclusiones originales a partir de datos experimentales. Son muy observadores y les interesa cómo funcionan las cosas. Disfrutan de su razonamiento y hacen buenas preguntas. Suele gustarles jugar al ajedrez, las damas o cualquier otro juego de estrategia o en el que tengan que emplear la lógica.

Los niños con esta inteligencia son capaces de resolver problemas mediante el uso de la intuición, sin que necesariamente comprendan el desarrollo del proceso.

Profesiones en las que está presente: ingenieros, navegantes, biólogos, científicos, contables, cocineros, economistas, corredores de bolsa, secretarios, analistas de sistemas, arquitectos, médicos, físicos e informáticos.

❧ Luca descubre a RITA ❧

Desde que habían llegado a Pegasus, algunos aprendices estaban ansiosos por ver su tecnología, sobre todo Luca.

Pensaba que sería muy avanzada, y él ya le había dicho a Ray, antes de salir, que lo que más le interesaba de aquel viaje era ver robots de última generación. Luca era muy bueno en matemáticas y le gustaba mucho investigar, aunque le costaba un poco hacer amigos.

Pero Ray le había contestado:

—Luca, creo que en este viaje no solo vas a encontrar robots, sino que vas a convivir con otros aprendices muy diferentes a ti y podrás hacer amigos.

Por eso, Luca estaba un poco nervioso: pasaban los días y todavía no había cumplido su deseo. ¿Cómo se iba a ir de Pegasus sin verlos?

Entonces tomó la decisión de hablar con Lira. Ella parecía muy buena en matemáticas: les había dicho exactamente cuánto tiempo habían tardado en llegar hasta su planeta en medidas "trino", y eso era algo que a cualquier aprendiz le hubiera costado averiguar sin ayuda del ordenador.

Pero Luca era un poco tímido y no se atrevía a hablar con ella, hasta que esa mañana Lira se sentó a su lado en el desayuno y le preguntó:

—Luca, ¿quieres que te enseñe el centro de investigaciones científicas?

—Por supuesto; estoy deseando conocer vuestros robots —contestó él.

—Bueno —añadió Lira sonriendo—, además de robots hay otras cosas interesantes; por ejemplo, hay un departamento que busca nuevas galaxias, otro que cultiva alimentos en el fondo del mar, otro dedicado a las máquinas inteligentes y...

Luca la interrumpió.

—¡Ese es el primero que quiero ver!

—Pues empezaremos por ese departamento; pero te aviso: vas a llevarte una gran sorpresa.

Fueron hasta allí dando un paseo, y a Luca le gustó aquel lugar nada más verlo por fuera: era un edificio formado por grandes cubos unidos, y cada cubo estaba pintado de un color diferente.

—Mira, Luca: cada color es un departamento. Nosotros vamos a ir primero al amarillo, que es el que más te interesa.

Entraron y subieron en un ascensor hasta la sexta planta, y allí les pusieron un chip de control en sus monos para que pudieran recorrer las instalaciones.

Luca estaba nervioso, pues por fin se iba a cumplir su sueño. Sabía que cuando fuera mayor iba a trabajar en un lugar parecido a ese.

—Bienvenidos —les dijo el investigador que los recibió en la puerta—. Este es el departamento de tecnología inteligente. Os voy a presentar a RITA, el robot que coordina todo.

Luca se quedó con la boca abierta al ver que se acercaba una joven sonriente, más parecida a una persona de lo que hubiera esperado, que les dijo con una voz muy dulce:

—Bienvenidos al departamento de robótica inteligente. ¿Queréis que os enseñe cómo funciona todo aquí?

—Sí, por supuesto —contestó Luca, sorprendido por su aspecto y por su nombre, muy común en la Tierra.

Como si le hubiera leído el pensamiento, RITA les dijo:

—Soy un Robot Inteligente de Tecnología Avanzada; por eso me llaman RITA.

Luca lo miró detenidamente: a no ser por la voz, su aspecto era el de una chica normal de unos quince años, y además muy guapa.

—¿Qué sabes hacer? —le preguntó Luca.

RITA miró extrañada a Lira, como si no estuviera programada para dar respuesta a esa pregunta, y Lira contestó por ella:

—Sabe hacer todo aquello que hay en su programa, y eso ella no lo sabe.

Luca se quedó callado y pensativo. Claro, solo era un robot, pero ¿cómo podía llamarse "inteligente" si no sabía para qué servía? En la Tierra se sabía que cada persona era muy inteligente para algunas cosas y menos inteligente para otras; eso era lo normal. Por eso sonrió cuando RITA le devolvió la pregunta.

—¿Y tú qué sabes hacer?

—Se me dan bien los números y las matemáticas y me gusta investigar sobre robots; por eso Lira me ha traído a este lugar.

—¿Solo eso?

Aquella pregunta le dejó desconcertado. ¿Cómo un robot que no sabía lo que podía hacer lo menospreciaba?

—Yo sé muchas cosas más —contestó Luca, un poco enfadado—. Sé cocinar algunos platos, poner la mesa, ordenar mi cuarto, manejar el ordenador, jugar a las cartas, nadar, andar en monopatín volador, dibujar, escribir y leer... Además sé hablar tres idiomas de la Tierra. ¿Te parece poco?

RITA miró a Lira pidiendo una respuesta, así que fue Lira la que contesto.

—RITA no quería que te enfadaras. Verás, ella controla lo que sucede en este departamento, y si tuviera que describir todo lo que sabe hacer, tardaría más de un día.

Aquella conversación tuvo que terminar, pues solo disponían de una hora para la visita y Luca quería aprovecharla bien.

—Si quieres, puedo enseñarte cómo nos construyeron a mí y a los robots de mi generación —le dijo RITA sonriente.

—¡Estupendo! Me gustaría mucho fabricar robots en mi planeta cuando sea mayor.

Se puso unas gafas especiales y ante él aparecieron todas las piezas de que estaba compuesto cada robot. Vio cómo se iban ensamblando los circuitos, cómo se insertaban cables que iban de un lado a otro y cómo, al final, le daban el aspecto que el robot mismo elegía entre un gran catálogo de rostros. Luego introducían un pequeño ordenador en su interior, en el que habían cargado los programas necesarios, y ya estaba listo para funcionar.

Pero Luca tenía una duda: ¿solo podían hacer aquello para lo que estaban programados, o podían tomar decisiones por su cuenta?

Lira añadió:

–No todos los robots son iguales: los llamados "servidores" solo cumplen órdenes; otros, como RITA, pueden tomar decisiones, y otros, a los que llamamos AIRE, sienten emociones y te hacen preguntas. Su nombre significa "Androide Inteligente con Respuesta Emocional".

–¿Preguntas? ¿Para qué? ¿Y cómo sienten emociones? ¿Les ponen algún programa especial?

Lira se echó a reír y a Luca le sorprendió porque no comprendía el motivo.

–¿Has visto cómo tú mismo acabas de hacer preguntas? Es un método para conseguir información del otro: hacerle pensar en la respuesta estimula su inteligencia.

–¡Ah, bueno! Ahora lo entiendo: esos robots son como profesores; pero es un poco raro, ¿no? En mi planeta, los profesores son siempre seres humanos.

–Pues en Pegasus todos podemos aprender y enseñar. Yo, por ejemplo, puedo aprender mucho de Telma y Kumara, y puedo enseñarle a RITA cosas sobre las emociones, pero también aprendo a pensar cuando uno de estos robots visita nuestro centro de aprendizaje y nos hace preguntas interesantes.

La visita debía continuar y Luca tenía ilusión por conocer otros robots, así que se despidieron de RITA para ir a otro departamento.

Y tanto disfrutaron que el tiempo se les pasó volando. Decidieron volver otro día para seguir conociendo aquel fantástico lugar.

Un invento muy divertido

Después de la visita que había hecho con Lira al centro de investigaciones científicas, Luca estaba fascinado por los diferentes tipos de robots que había conocido.

Los llamados "servidores" no le atraían nada, pues solo cumplían órdenes sencillas y se centraban en realizar la misma tarea una y otra vez. Pero los androides eran otra cosa: primero, por su apariencia, y después, por la capacidad de relacionarse, seguir una conversación y hacer preguntas.

Esa mañana, Kumara les había pedido que cada uno investigara sobre un tema que le resultara interesante, para luego ponerlo en común con el resto de compañeros, y en eso pensaba Luca cuando Linda y Artur se le acercaron.

—Hola, Luca, queremos pedirte un favor: nos gustaría hacer una investigación y hemos pensado que Lira y tú podíais ayudarnos.

—Bueno, ya sabéis que a mí me gusta mucho investigar. Ahora precisamente estaba pensando en el tema; hay tantas cosas que me interesan...

—Verás —le dijo Linda—, ayer me contó Artur que en el universo hay seres humanos con aspectos diferentes al nuestro y al de ellos.

Me gustaría saber cómo sería yo si hubiera nacido en otro planeta; por eso te necesitamos.

—¿Y yo qué puedo hacer? —preguntó Luca, extrañado.

—RITA tiene un programa en el que se pueden ver todas las formas diferentes de humanos que existen y en qué planeta vive cada uno —le dijo Artur—. Si pudieras cambiarlo...

En ese instante, Luca tuvo una idea y les dijo con voz misteriosa:

—¿No pensáis que a todos nuestros compañeros les gustaría saber cómo serían si hubieran nacido en otro planeta? Podemos crear un programa para que lo descubran. ¿Qué os parece?

Sus tres compañeros se echaron a reír.

—Sí, pero primero lo probamos nosotros.

—Creo que será sencillo. Si me ayudáis, podemos hacerlo, con la ayuda de RITA, claro.

—No creo que tenga problemas —dijo Lira—. Hablaré con él.

Decidieron repartirse el trabajo: Luca y Lira hablarían con RITA, y Linda y Artur buscarían un lugar donde poder llevar a cabo su investigación.

A Linda le costaba guardar un secreto, y tuvo que esforzarse en disimular cuando se cruzó con Tomi y este le preguntó adónde iba.

—Estoy investigando sobre juegos con Artur...

—Pues yo estoy aprendiendo con Naga muchas cosas sobre los diferentes animales de Pegasus, y Naga ha tomado a Suan como el objeto de su investigación.

Menos mal que no se encontró con nadie más en el camino hasta que Artur le hizo señales a los lejos.

—¡Ven, Linda! He encontrado el lugar adecuado, el laboratorio de tecnología. Allí estaremos tranquilos.

Muy pronto llegaron Luca y Lira acompañados de RITA, que parecía muy contento con el plan.

—Yo tengo los programas de rostros y aspectos —les dijo—, pero estoy programado para elegir el que más me guste; no sé si podré ayudaros.

—Bueno, creo que entre Lira, tú y yo lo conseguiremos —dijo Luca.

—¿Y nosotros qué hacemos? —preguntaron Artur y Linda.

—Sería bueno grabar a cada uno de nuestros compañeros sin despertar sospechas. Así les daremos una sorpresa.

Artur y Linda se fueron muy contentos, mientras Luca y Lira contemplaban los programas de RITA para ver cuál se podía adaptar a sus fines. Una vez que lo encontraron, RITA les fue diciendo lo que podían hacer para transformar su programa y crear el nuevo programa de rostros.

Fue bastante costoso, pero entre los tres lo consiguieron, y a Luca le sorprendió mucho ver la cara de alegría de RITA.

—¿Es que RITA siente? —le preguntó a Lira al oído—. Me habías dicho que solo los AIRE tenían sentimientos.

Pero fue RITA quien le contestó:

—Estoy mejorando mis programas y creo que muy pronto me convertiré en AIRE. De momento solo puedo sentir unas pocas emociones, pero espero que me cambien de categoría cuando demuestre que no solo puedo hacer preguntas y mantener una conversación, sino también expresar emociones y captar las de los seres humanos.

Luca se quedó pensativo: así que los robots podían aprender y cambiar como las personas... ¡Cómo se iban a quedar sus compañeros cuando se lo contara!

Y mientras esperaban la llegada de Linda y Artur con las grabaciones, decidieron probar con ellos mismos.

La primera fue Lira. Se puso frente a RITA para que le grabara su aspecto actual, y Luca dio al botón que ponía en acción el nuevo programa mientras le preguntaba:

—¿De dónde quieres ser?

—Elijo ser una chica de Andrómeda.

Y en ese momento se proyectó en la pantalla una imagen de su nuevo aspecto que dejó a los dos con la boca abierta.

—¡Qué pasada! No me imaginaba que pudiera haber seres humanos así —exclamó Lira.

—Pues a mí me parece que estás muy guapa —le dijo Luca.

—¿Más o menos que ahora? —preguntó Lira, muy divertida.

Luca no estaba acostumbrado a ese tipo de preguntas; por eso agradeció mucho que Artur y Linda aparecieran justo en ese momento.

—¡Ya tenemos todas las grabaciones! Nos han preguntado para qué las queríamos, pero les hemos dicho que eran para nuestra investigación y se han quedado tranquilos.

Artur miró la pantalla con ojos muy abiertos.

—¿Quién de los dos tiene ese aspecto?

—Es Lira si hubiera nacido en Andrómeda.

—¡Serías preciosa, pero me gustas más como eres!

Artur había dado la respuesta que él no encontraba, pensó Luca.

—Ahora, que elija Luca —dijo Lira—. ¿Qué planeta eliges?

—Pues Pegasus. Siento mucha curiosidad.

Y en la pantalla apareció el nuevo Luca con piel azulada, pelo amarillo, cara ovalada y grandes ojos verdes.

—Bueno, creo que me acostumbraría —dijo riendo.

Linda y Artur fueron los siguientes, y todos pasaron un buen rato mientras pensaban qué diferentes eran unos de otros y, sin embargo, cuántas cosas tenían en común.

—En clase nos dijeron que vuestro aspecto era muy diferente al nuestro y por eso al principio teníamos un poco de miedo, pero ahora ya no me fijo para nada en eso y veo que nos parecemos mucho por dentro; eso es lo importante —dijo Linda.

—Además, ya somos amigos y por eso creo que no me importa vuestra apariencia —añadió Luca sonriendo.

—Y ahora, ¿qué hacemos con este invento? Me gustaría ver la cara de los demás cuando descubran lo que este programa puede hacer.

Y todos decidieron mantenerlo en secreto hasta que fuera el momento adecuado de presentarlo en público.

Para Luca fue un momento importante. No solo había sido el inventor del programa con ayuda de RITA y Lira, sino que ahora compartía un secreto con sus amigos, y eso le hacía sentirse muy feliz.

Ficha para padres

Si queréis que vuestro hijo desarrolle la inteligencia lógico-matemática, debéis tener en cuenta los siguientes aspectos:

Valorad su curiosidad y contestad a sus preguntas sobre el funcionamiento de las cosas que le interesan.

Ayudadle a investigar sobre algún tema y a ser constante y persistente.

Jugad con él a descifrar enigmas o a solucionar problemas.

Enseñadle a observar causas y efectos para que desarrolle el pensamiento lógico y deductivo.

Planteadle hipótesis para estimular su capacidad de pensar y razonar científicamente.

Enseñadle a ordenar sus libros, agrupar sus juguetes según el tipo y clasificar cromos, dibujos, minerales o cualquier elemento que coleccione.

Hacedle preguntas para que descubra por sí mismo la respuesta.

Enseñadle a jugar a las damas, el ajedrez, el dominó o las cartas.

✒ Después de leer *Luca descubre a RITA*, pedidle que dibuje el robot tal y como se lo imagina, teniendo en cuenta la descripción.

✒ Preguntadle qué le hubiera gustado conocer a él en el centro de investigaciones y si le gustaría tener un robot y para qué. ¿Le gustaría dedicarse a construir robots cuando sea mayor?

✒ Jugad a ser robots, moveos como un robot, hablad como robots, incluso podéis jugar a ser los tres tipos de robot que aparecen en el cuento.

✒ Después de leer el cuento *Un invento muy divertido*, jugad a imaginar cómo seríais de haber nacido en otro planeta y dibujad a cada miembro de la familia como si fuera extraterrestre.

✒ Comentad con vuestro hijo lo que puede suceder cuando conocemos a personas muy diferentes a nosotros, cuando sentimos miedo o desconfianza. ¿Cree que es muy importante el aspecto físico, o hay otras cosas más importantes? ¿Elegiría como amigo a un niño de otro planeta?

✒ Jugad a "mentira-verdad": cada uno dice una cosa y el otro tiene que adivinar si es mentira o es verdad. Gana quien más acierta y el que se invente mentiras más graciosas.

✒ Pedidle que describa cómo se ha planteado la investigación en el cuento. Si él tuviera que hacer un trabajo, ¿sobre qué tema le gustaría investigar? ¿A quién pediría ayuda?

⚮ *Inteligencia existencial* ⚮

Es la capacidad de situarse uno mismo en relación con las facetas más extremas del cosmos –lo infinito y lo infinitesimal– y la capacidad de situarse en relación con determinadas características existenciales de la condición humana, como el significado de la vida y la muerte, el destino final del mundo físico y el mundo psicológico, y ciertas experiencias como sentir un profundo amor o quedarse absorto ante una obra de arte.

Las personas que poseen esta inteligencia se caracterizan por la sensibilidad para lo religioso, lo místico, lo trascendental y la inquietud por las cuestiones cósmicas o existenciales. También se hacen preguntas sobre el significado de los procesos humanos, sobre cuestiones morales y éticas, y reflexionan sobre aspectos espirituales, religiosos o no. Tienen profundas experiencias emocionales vinculadas a la música, al arte o los fenómenos de la naturaleza.

Estas personas sienten que forman parte de un sistema más amplio y que su existencia tiene un propósito muy definido; son coherentes porque tienen un profundo conocimiento de sí mismos y hacen lo que dicen que quieren hacer; sienten una fuerte conexión con el universo y todas sus formas de vida, lo que a su vez genera una sensación de sorpresa, maravilla, amor y respeto hacia la existencia.

En los niños se muestra con una atracción especial hacia cuestiones filosóficas o existenciales, haciendo preguntas profundas para su edad o desarrollando un rico mundo interior. Suelen ser muy sensibles a la belleza y para ellos su mundo imaginativo tiene mucha importancia. A veces se preocupan demasiado por cuestiones que a su edad no pueden comprender.

Profesiones en las que está presente: sacerdotes, filósofos, líderes religiosos, artistas, asesores, científicos, músicos, teólogos, escritores, poetas y psicólogos.

Periodistas por un día

Los días en Pegasus pasaban a gran velocidad y los aprendices de la Tierra se encontraban tan a gusto, que ninguno pensaba en el viaje de regreso.

Pero Lucía tenía muchas preguntas dando vueltas en su cabeza y no se quería marchar sin tener las respuestas.

Aquella tarde, su habitual curiosidad no pudo más y, en un momento en el que sus compañeros estaban aprendiendo diferentes juegos, buscó a Paula y le dijo:

—Hay muchas cosas en Pegasus que no comprendo. ¿Podrías explicarme, por ejemplo, por qué no se ven ancianos por las calles?

—Creo que es mejor que se lo preguntes a Telma o a Kumara; ellos te lo explicaran mejor.

Lucía esperó el momento adecuado y, después de la cena, le hizo a Kumara la misma pregunta.

—Tu observación es buena, y a menudo nuestros visitantes se preguntan lo mismo. Verás, Lucía, en Pegasus hemos aprendido a cuidar el cuerpo y la mente desde pequeños; por eso nuestro aspecto es bastante saludable.

—Si nadie está enfermo y nadie envejece, ¿de qué se muere la gente en vuestro planeta?

Kumara sonrió. Había encontrado un aprendiz dispuesto a descubrir el mayor secreto de Pegasus.

—Si te parece bien, mañana por la mañana te voy a proponer una actividad para hacer entre Kantor y tú. Por cierto, ¿cómo te llevas con él?

—Bueno, es un chico bastante tímido —contestó Lucía—. Apenas puedo hablar con él y, cuando le pregunto algo, me da explicaciones que no comprendo.

Kumara sonrió y dijo:

—¡Estupendo! Entonces, mañana vais a preguntar a los habitantes de Olaris sobre estos temas; os vais a convertir en periodistas.

Lucía se quedó perpleja: por un lado estaba contenta de encontrar respuestas, pero por otro lado, le daba un poco de vergüenza ir por ahí haciendo preguntas a la gente sobre temas tan personales.

Esa noche, antes de marcharse a su casa, Kantor le dijo:

—Me ha dicho Kumara que mañana vamos a hacer una actividad los dos y estoy muy contento de trabajar contigo.

—Pues yo espero descubrir por qué no envejecéis en Pegasus y de qué se muere la gente. Seguro que en la Tierra les van a interesar mis descubrimientos.

Ninguno de los dos tenía sueño, y se quedaron un rato charlando hasta que Paula los llamó:

—¡Lucía, Kantor, a dormir! Mañana seguiréis hablando.

Y en ese momento, Lucía se dio cuenta de que Kantor ya no se mostraba tan tímido y habían hablado de cosas muy interesantes.

La mañana comenzó para los dos con una visita a Kumara, que les entregó un pequeño aparato.

—Tomad, os servirá para recoger la información. Pero no olvidéis pedir permiso a la gente antes de grabarla; en Pegasus, la intimidad es sagrada.

Lucía se quedó mirando aquel minúsculo aparato, que no se parecía en nada a las grabadoras tridimensionales de la Tierra: cabía en la palma de la mano.

—Es un último modelo —le dijo orgulloso Kantor—. Te enseñaré a manejarlo.

Lucía, encantada, se lo colgó al cuello y los dos aprendices salieron de allí dispuestos a ser periodistas.

La primera persona a la que pararon era una mujer de apariencia mayor.

—Perdone, señora —dijo Kantor, un poco avergonzado—. Mi amiga Lucía viene de la Tierra y le gustaría saber algunas cosas. ¿Le importaría contestar unas preguntas?

—No, encantada. ¿Qué queréis saber?

Entonces, Lucía le preguntó su edad, por su salud y por las causas de muerte en Pegasus.

—Os contestaré con mucho gusto, pero es mejor que nos sentemos en este banco.

La señora les habló de cómo se cuidaban desde pequeños, tanto el cuerpo como la mente.

—Es muy importante aprenderlo; así evitamos enfermar y que otros nos tengan que cuidar después.

Cuando les dijo su edad, Lucía se quedó con la boca abierta: no podía creer que aquella señora tuviera ¡110 años!

—Bueno, en Pegasus podemos vivir hasta los 150, así que todavía me quedan unos años antes de partir.

—¿Partir? ¿Adónde? —preguntó Lucía, curiosa.

—Es la palabra que empleamos en lugar de "muerte". Antes sí se usaba, y creo que en algunos planetas todavía se sigue usando, pero nos gusta más ver la muerte como un viaje, igual que la vida.

Lucía estaba un poco confusa. Cada vez que preguntaba a su madre sobre la muerte de su padre, ella callaba y le decía que era aún muy pequeña para comprenderlo.

Kantor se dio cuenta de que Lucía estaba un poco nerviosa y dijo a la señora:

—El padre de Lucía partió hace un año y en la Tierra nadie quiere hablar con ella de este tema.

—¿Ah, no? A nosotros, desde pequeños, nos hablan sobre lo que significa vivir y morir.

Siguieron hablando de la vida y de la muerte, de cómo evitaban las enfermedades y buscaban la felicidad.

Ese día hubo más entrevistas, y todas fueron grabadas, pero a Lucía le llamó mucho la atención que a nadie le importara pararse y contestar sus preguntas.

—En la Tierra, muy pocos lo hubieran hecho, porque allí casi todo el mundo tiene prisa, pero veo que aquí nadie corre. ¿Siempre es así? —preguntó Lucía.

—Bueno, sí corremos alguna vez... ¡Cuando hay carreras! —dijo Kantor lanzando una carcajada.

Lucía se rio con él, y en ese momento descubrió que Kantor también tenía sentido del humor, a pesar de ser tan tímido.

Cuando terminaron su trabajo, ya era hora de comer y Lucía estaba deseando contar a sus compañeros lo que había descubierto, pero, bien a su pesar, la comida no era un buen momento para hablar de esos temas, así que se dedicó a escuchar lo que habían hecho sus compañeros mientras ella investigaba con Kantor.

Los aprendices, en parejas, habían realizado diferentes investigaciones, y casi todas le interesaban: sobre la comida en Pegasus, el arte, la energía verde, los deportes, la astronomía, la flora y la fauna, los cuentos y leyendas...

Antes de marcharse de Pegasus, Kumara les prometió una copia de todos sus trabajos en tecnología adaptada a la Tierra para que se pudiera decodificar.

—Lucía —le dijo Kantor acercándose al oído para que nadie le oyera—, me ha gustado mucho trabajar contigo.

—A mí también, Kantor —contestó ella, ruborizada.

Kantor se la quedó mirando mientras se alejaba sin contestar. Había descubierto que Lucía era una chica preciosa y además tenían muchas cosas en común. Pero ella no se volvió para despedirse porque sentía que su cara tenía el mismo color que las cerezas.

Hablando con los árboles

Cuando tenía un rato libre, Lucía salía a pasear por los bosques que rodeaban la ciudad y a menudo se encontraba con Tomi fotografiando alguna planta o dibujando algún insecto desconocido.

Pero ese día, cuando ya estaba a punto de volver con sus compañeros, vio a Nacho sentado debajo de un árbol.

—¿Qué haces, Nacho? —le preguntó, sorprendido, al verle con los ojos cerrados.

—Sintonizo con el árbol; es algo maravilloso —contestó él con una sonrisa.

—¿Y qué es "sintonizar"?

—Es algo que me ha enseñado Kantor y que aquí todos saben hacer: se trata de comunicarme con el árbol; así puedo sentir lo que él siente y conocer su mundo.

Lucía no entendía nada, así que le pidió que le explicara un poco más.

—Kantor me ha contado que en Pegasus todos los seres vivos, personas, animales y plantas pueden comunicarse, aunque cada uno de un modo diferente. Entre las personas nos comunicamos

hablando, escribiendo o por gestos, pero si quiero hacerlo
con un árbol, tengo que utilizar mi imaginación. Eso estaba haciendo
cuando has llegado.

—Perdona la interrupción —dijo Lucía mientras le dejaba
continuar.

A Lucía le encantaban los árboles de Pegasus, pero nunca
se le hubiera ocurrido pensar que pudiera comunicarse con ellos,
así que se fue de allí pensando que debía hablar con Luna y pedirle
que le enseñara. Quizás a Tomi le podía interesar también, así que,
cuando la vio, dijo:

—Hola, Luna, quería pedirte un favor. ¿Podrías enseñarnos a Tomi
y a mí a "sintonizar"?

Luna se quedó muy sorprendida y le preguntó:

—¿Quién te ha hablado de ello? No sé si podré hacerlo...

—Pero ¿por qué? Kantor ha enseñado a Nacho, él me lo ha dicho...

—Yo lo haría encantada, pero se necesita una preparación.

Lucía se sintió decepcionada y Luna, al ver su cara, le dijo:

—Vamos a ver a Kumara y se lo preguntamos.

Luna pensaba que requería mucha concentración y ser capaz de estar en silencio durante un buen rato. Si a ella le había costado tanto, para sus compañeros de la Tierra sería mucho más difícil.

Por eso, Luna le hizo la pregunta a Kumara sin mucho entusiasmo, esperando una contestación negativa, pero su respuesta la sorprendió.

—Debes hacerlo, Luna; tú dale las instrucciones y después deja que lo intente. Es cuestión de práctica.

Lucía sonrió satisfecha y se fue corriendo a buscar a Tomi, Luna se fue a buscar a Kantor y los cuatro se encontraron junto al bosque.

—¿Por qué queréis aprender a sintonizar? —preguntó Kantor.

—A mí me gustaría comunicarme con las plantas y los árboles; podría aprender muchas cosas —contestó Tomi.

—Pues yo soy muy curiosa y me encantaría saber cómo se hace —contestó Lucía.

—Está bien, pero como vuestro cerebro es diferente al nuestro, quizás os cueste un poco más; es necesario concentrarse y estar en completo silencio, ¿de acuerdo? —dijo Kantor.

Eligieron un árbol de un bonito color granate y Luna los invitó a sentarse frente a él mientras les daba instrucciones.

—Ahora cerrad los ojos e imaginad que entráis en el árbol; solo eso, pero debéis estar muy concentrados, y cuando lo consigáis, levantad la mano.

Pasaron unos minutos y de repente Lucía sintió una extraña sensación: le parecía ver cómo la savia circulaba por su interior; después vio las raíces hundiéndose en la tierra, absorbiendo el agua y los nutrientes, y, emocionada, levantó la mano.

Entonces, Luna se acercó y le dijo al oído:

—Ahora intenta mandarle algún mensaje y escucha su respuesta.

Mientras tanto, Tomi lo intentaba con todas sus fuerzas, sin conseguirlo.

De pronto, Lucía abrió los ojos y dijo entusiasmada:

—¡He hablado con el árbol! ¡Es fantástico!

—Pues yo, nada de nada —dijo Tomi, desilusionado.

—No importa, chicos; es cuestión de entrenamiento. A mí tampoco me salió a la primera, pero, por lo visto, Lucía tiene facilidad para "sintonizar" —comentó Luna.

—Telma nos dice que para aprender algo nuevo, debemos practicar una y otra vez, sin desanimarnos —dijo Kantor dirigiéndose a Tomi.

—Está bien, pero cuéntanos lo que has visto —le pidió a Lucía—. Me muero de curiosidad.

Ella todavía estaba confusa, pero se puso de pie junto al árbol y dijo:

—Primero he descubierto que lo que hay dentro del árbol es muy parecido a lo que vemos en el cielo: es como si hubiera un pequeño universo; luego he sentido que me hablaba, que me enseñaba algo, pero no sé muy bien traducirlo en palabras. Solo sé que estaba contento.

Kantor le interrumpió:

—¡Muy bien, Lucía! Eso es lo que nos decía nuestro mentor de comunicación. A veces, al "sintonizar" no oímos palabras;

solo sentimos emociones, sensaciones, pero es la forma que tiene el árbol de comunicarse con nosotros.

Luna, sonriendo, se acercó a ella y le dijo:

–Para ser la primera vez, no está nada mal. Si practicas, pronto serás una experta.

–Pero no sé si podré hacerlo en mi planeta.

–Claro que podrás, pero procura no comentar con cualquiera tus experiencias, no sea que crean que estás loca.

Todos se rieron mientras veían a Nacho acercarse.

–¡Ha sido estupendo, maravilloso! –dijo entusiasmado–. Aunque ahora tengo muchas preguntas para Kumara.

En ese momento, Luna miró el reloj y, al darse cuenta de la hora, dejaron de hablar y echaron a correr porque no querían llegar tarde a la cena.

✑ *Ficha para padres* ✑

**Si queréis
que vuestro hijo
desarrolle
la inteligencia
existencial, debéis
tener en cuenta
los siguientes
aspectos:**

✑ Contestad a sus preguntas de una forma sencilla y asequible a su edad y comprensión, siempre en coherencia con vuestra forma de pensar y actuar.

✑ Buscad algún momento al día para que os cuente las cosas que le preocupan.

✑ Ofrecedle momentos en que maravillarse y sentir la belleza, como contemplar una puesta de sol, escuchar música o mirar un cuadro.

✑ Valorad su mundo interior y sus inquietudes sobre el mundo espiritual.

✑ Mientras paseáis tranquilamente, permitid ratos de silencio en los que pueda dar rienda suelta a su imaginación.

✑ Comentad con él cuestiones de tipo ético sobre los valores que a vosotros os parecen importantes.

✑ Animadle a que comparta con vosotros sus vivencias emocionales, para que se dé cuenta de que la sensibilidad es un valor.

152

También podéis hacer lo siguiente:

✍ Después de leer el cuento *Periodistas por un día*, comentad las preguntas que hacen Kantor y Lucía. ¿Le gustaría vivir más de cien años? ¿Cómo cree que se debería cuidar una persona para seguir bien a esa edad?

✍ También podéis hablar de la vejez, e incluso de la muerte si pensáis que es un buen momento. Pedidle que haga un dibujo de alguien de la familia que haya muerto y compartid los recuerdos bonitos que tengáis de esa persona.

✍ Es bueno que juguéis a los detectives, observando todos los detalles maravillosos que existen a vuestro alrededor o viendo los cambios en la naturaleza a través de las estaciones. Elegid un árbol cerca de casa y haced el seguimiento.

✍ Después de leer el cuento *Hablando con los árboles*, preguntadle si le gustaría poder hablar con algún animal o planta. ¿Cree que las plantas sienten? ¿Y los animales? ¿Cómo se comunican ellos con nosotros?

✍ Podéis dedicar un rato todos los días a cerrar los ojos y estar en silencio escuchando música o haciendo unos minutos de meditación o de visualización.

✍ Enseñadle a contemplar las estrellas, a imaginar que viaja hasta ellas y les cuenta sus secretos. Podéis elegir una por cada miembro de la familia y ponerle vuestro nombre.

❧ *Inteligencia espacial* ❧

Es la capacidad para formar en la mente representaciones espaciales y operar con ellas con fines diversos. Permite percibir imágenes externas e internas, recrearlas, transformarlas o modificarlas, recorrer el espacio o hacer que los objetos lo recorran y producir o decodificar información gráfica; permite crear modelos del entorno viso-espacial y efectuar transformaciones a partir de él, incluso en ausencia de estímulos concretos.

Las personas que tienen muy desarrollada esta inteligencia poseen la capacidad de visualizar acciones antes de realizarlas, lo que les permite crear en el espacio figuras y formas geométricas. Este tipo de inteligencia permite configurar un modelo mental del mundo en tres dimensiones y descubrir coincidencias en cosas aparentemente distintas.

Está presente en los niños que estudian mejor con gráficos, imágenes, esquemas, fotografías, a los que les gusta hacer mapas conceptuales y mentales y entienden muy bien los planos. Se ubican bien en el espacio y lo representan mentalmente con facilidad, moviéndose con puntos de referencia internalizados.

Tienen una gran habilidad para montar y desmontar objetos, obtener imágenes mentales claras de lo que describimos, leer e interpretar mapas y diagramas, e imaginarse todo el volumen con solo ver un ángulo. Estos niños piensan en imágenes, dibujos, escenas y fotografías, y les gusta pasar su tiempo libre dibujando, haciendo puzles, construcciones y rompecabezas, o simplemente dejando vagar su imaginación. Poseen gran facilidad para calcular distancias y proporciones.

Profesiones en las que está presente: marineros, pilotos, fotógrafos, guías turísticos, albañiles, electricistas, arquitectos, decoradores, cineastas, carteros, taxistas, publicistas, cirujanos, escultores, bailarines, deportistas, diseñadores, modistos, pintores y peluqueros.

⤙ La gran comilona ⤚

Los aprendices de Pegasus estaban encantados enseñando a sus compañeros terrestres la ciudad, pero no quedaban días suficientes para conocer todos los lugares, y por eso les preguntaron dónde querían ir.

—Yo quiero conocer vuestro observatorio astronómico —dijo Tomi.

—Pues yo quiero ver algunos de vuestros inventos más recientes —dijo Luca.

—¿Por qué no nos contáis cuentos de Pegasus? —sugirió Keiko.

—No, eso es muy aburrido. Yo prefiero que nos enseñéis vuestros juegos —dijo Linda.

Y así, cada uno pedía algo diferente.

—Pero no tenemos tiempo para todo, así que ¿por qué no dejáis que os demos una sorpresa? Estamos seguros de que os gustará. ¡Seguidnos! —dijo Artur.

También aquel plan era emocionante, así que se fueron detrás de él sin protestar.

Artur se paró frente a un edificio que estaba junto al comedor y entraron en una sala en la que solo había un gran ordenador y un mostrador lleno de platos.

—¿Qué es este lugar? —preguntó Lucía—. ¿Es una cocina?

—Aquí se preparan las comidas. Tú dices lo que quieres comer y el ordenador cumple la orden —dijo Artur—. Aunque nosotros no solemos manejarlo, hay personas encargadas de las comidas.

—¡Qué bien! —exclamó Nacho—. Echo de menos la tortilla de patatas de mi abuela. Si la pudiéramos hacer...

—Solo hay que elegir entre las recetas que tiene en su programa, aunque también puedes inventar una nueva. En ese caso, debes dibujar con todo detalle la comida que quieres y darle los ingredientes necesarios, con su peso aproximado.

En ese momento, todas las miradas se dirigieron a Nadia y Luca.

–¡Por favor, Nadia, dibuja unos macarrones con tomate! –le pidió Bao.

–Y una tarta de chocolate para el postre, por favor... –pidió Kamal.

Los aprendices de Pegasus también miraron a Nadia.

–¿Por qué no vemos si estos platos están en el programa del ordenador? –dijo Luca.

Pero, lógicamente, no estaban porque eran comidas típicas de la Tierra; por eso Vega preguntó a Nadia:

–¿Es verdad que puedes dibujar esas comidas? Me parece que todos queremos probarlas.

–Oye, Vega, no estoy segura de que nuestra comida os vaya a gustar: la de Pegasus es muy diferente. ¿Y si os sienta mal? –preguntó Nacho.

–Seguro que no. Por favor, Nadia, se me hace la boca agua solo con oír esos nombres...

El comentario de Fénix hizo reír a sus compañeros de la Tierra, pues era una expresión que había aprendido de ellos.

–Bueno, está bien, pero Luca tiene que darle al ordenador las cantidades; yo no me acuerdo muy bien.

–No te preocupes, Nadia. Tú dibuja la comida, que yo me encargo de lo demás –contestó él.

Y así fue como comenzó aquella aventura.

Nadia estaba asombrada. Nada más terminar el dibujo de la tortilla de patatas, lo metió en el ordenador, Lucas dio las cantidades de huevo, patatas y sal, y al cabo de unos minutos apareció una hermosa tortilla que desprendía un olor fantástico.

–¿Podemos probarla? –preguntó Nacho–. ¡Huele de maravilla!

Todos estaban pendientes de su cara mientras la comía.

–Humm, ¡riquísima! ¡Venga, probadla vosotros!

No tuvo que decirlo dos veces; la cortó en trocitos y se la comieron hasta que no quedó nada en el plato.

–¡Qué rica está! Tenemos que volver a hacerla –dijo Sirio–. Nadia, ¿me enseñarás a dibujarla?

–Por supuesto; así podréis comerla cuando queráis.

–Bueno, ahora los macarrones con tomate –pidió Bao, impaciente.

Nadia estaba feliz de ser la protagonista y se esmeró en hacer un buen dibujo. Luca le dio las cantidades aproximadas al ordenador y en unos minutos salió humeante un enorme plato de macarrones cubiertos de una rica salsa de tomate.

–Creo que me he pasado con las cantidades –dijo Luca, preocupado.

–No pasa nada, ya verás lo que queda –le contestó Fénix relamiéndose de gusto.

Y en unos minutos se zamparon todo hasta que el plato quedó completamente limpio.

–Esto es mejor que lo que coméis por aquí, ¿no? –les preguntó Luca sonriendo.

–Bueno, nuestra comida está llena de nutrientes que nuestro cuerpo necesita para estar bien, pero esta comida… ¡está de rechupete!

–Y ahora, por favor, la tarta de chocolate –dijo Kamal.

Nadia comenzó a dibujar con todo detalle una hermosa tarta bajo la atenta mirada de sus compañeros.

–Y, para terminar, voy a ponerle por encima un poco de mermelada de fresa y unas guindas. ¿Qué os parece?

–¡Bieeeeennn! –gritaron todos.

Pasados unos minutos, apareció una enorme y deliciosa tarta de chocolate que todos los aprendices miraron extasiados.

La pusieron encima de la mesa y todos se lanzaron a coger un trozo, mientras a cada bocado se escuchaba una exclamación diferente.

—¡Está para chuparse los dedos!

—¡Es la tarta más rica que he comido nunca!

—¡Nadia, eres una artista!

Después de aquella comilona, los aprendices de Pegasus se sentían un poco raros, como si tuvieran un gran peso en el estómago. ¿Les habría sentado mal aquella comida, tal y como temía Nacho?

También sus compañeros de la Tierra se sentían cansados, y todos se sentaron por el suelo después de felicitarse por la gran idea que habían tenido.

—Nadia, antes de irte me tienes que enseñar a dibujar todas estas comidas, y alguna más que se te ocurra. Tenemos que repetir la experiencia, ¿no, compañera? —preguntó Sirio.

—No te preocupes —contestó ella—. Antes de marcharnos, te dejaré un montón de dibujos para que probéis otras comidas deliciosas de la Tierra, y espero que Luca os apunte las cantidades.

El tiempo había pasado deprisa y se acercaba la hora de la comida, pero ¿quién podía pensar en comer? Estaban a punto de reventar...

Por eso, cuando Paula los vio llegar al comedor, notó algo raro y les preguntó:

—¿Lo habéis pasado bien esta mañana?

—Estupendamente, Paula, pero no tenemos mucha hambre. ¿Te importa que nos marchemos a descansar?

—Por supuesto que sí; tenemos que comer juntos, como todos los días.

Telma no daba crédito a lo que veía, pues era la primera vez que sus aprendices dejaban el plato casi lleno. ¿Estarían enfermos?

De pronto, Kumara lanzó una carcajada después de que Artur le contara algo al oído.

—Así que ha sido eso... ¡Ja, ja, ja! Ahora lo comprendo todo.

Ray y Paula también se rieron cuando Kumara les explicó lo que habían hecho esa mañana, pero ningún aprendiz tenía ganas de reír; solo querían irse a descansar.

Aquella gran comilona fue recordada durante mucho tiempo en Olaris, y solo en alguna ocasión especial volvían a probarla, mientras recordaban a sus amigos de la Tierra.

✎ *Un regalo para todos* ✎

Aquella mañana, Telma los reunió para contarles el plan del día y pidió voluntarios para construir una maqueta de Olaris.

Cuatro manos se levantaron veloces: las de Lira, Nadia, Luca y Sirio.

—Muy bien, entre los cuatro vais a hacer este encargo mientras vuestros compañeros hacen otras actividades. Espero que para la tarde esté terminada, y entonces os explicaré para qué va a servir vuestro trabajo.

—¿Y dónde vamos a construir la maqueta? ¿Tenéis los materiales necesarios? —preguntó Nadia.

—Sí, claro, venid con nosotros —contestó Sirio.

Llegaron a un edificio semiesférico, algo diferente a los demás. En su interior había pantallas enormes y diferentes tipos de máquinas.

—Bueno —dijo Luca—, estas máquinas me gustan.

—Te van a sorprender —contestó Sirio—, pero no por su complejidad, sino por su sencillez.

—Pero si estáis más adelantados que nosotros, será por vuestra tecnología, ¿no?

—No solamente —añadió Lira—. Un día nos contaron en clase de historia que...

–Siento cortar vuestra conversación –dijo Sirio–, pero creo que ahora lo importante es hacer la maqueta que Telma nos ha encargado. Después Kumara puede contaros otras cosas interesantes de nuestra historia.

Sirio se sentó frente a una pantalla y, después de poner la mano sobre un tablero lleno de símbolos, apareció la ciudad de Olaris como si la vieran desde una nave espacial. Sobre la imagen comenzaron a aparecer a gran velocidad un montón de números, secuencias, símbolos y gráficos.

–¿Qué es todo eso? –preguntó Luca, un poco asustado.

–Son datos que tenemos que utilizar en la construcción de la maqueta, pero el ordenador nos ayudará, no te preocupes –contestó Nadia.

—A ver, ¿a quién de vosotros se le dan mejor los números? —preguntó Sirio.

Luca y Lira levantaron la mano.

—Bien, nos repartiremos el trabajo: tú y Lira os encargáis de los cálculos, y entre Nadia y yo los pasaremos a dibujos para después construir las piezas como si fueran las de un puzle gigante, ¿de acuerdo?

Nadia estaba feliz; a ella le gustaba hacer móviles colgantes de formas divertidas y después pintarlos de colores; era uno de los regalos que muchos de sus compañeros más valoraban.

Los cuatro trabajaron totalmente concentrados durante unas horas, con ayuda del ordenador y de un programa de construcción de maquetas.

Y cuando todas las piezas del puzle gigante estuvieron construidas, las fueron montando con mucho cuidado. Tenían que quedar completamente selladas para que, al transportar la maqueta al salón de encuentros, no le pasara nada.

Pero Luca daba vueltas a lo que le había dicho Lira. ¿Cómo habrían conseguido atravesar agujeros de gusano, descubrir nuevas galaxias y comunicarse con casi todos los planetas de su sistema solar? Por eso, cuando ya casi habían terminado su trabajo, dijo:

—Lira, tengo que hacerte una pregunta: me gustaría saber si tenéis robots que os ayuden en las tareas escolares o si os introducen los conocimientos en el cerebro a través de nanochips.

Lira soltó una carcajada y Sirio y Nadia miraron sorprendidos.

—Es mucho más sencillo: nosotros conocemos bien nuestro cerebro y el aprendizaje se ha convertido en algo muy divertido que cada aprendiz realiza de una forma diferente, pues todos somos distintos.

—Me sorprende lo que dices, porque en la Tierra no es muy divertido aprender: tenemos que hacer muchas cosas, casi siempre de la misma manera y todos lo mismo, según el curso en el que estemos.

—¿Todos juntos? ¿Todos aprendéis lo mismo y de la misma manera? —le preguntó Lira, extrañada.

—Eso es lo normal, aunque en algunos centros de aprendizaje se aprende de forma diferente, a través de proyectos, experimentos prácticos, trabajo en red, videoconferencias o viajes virtuales.

Cuando la maqueta quedó totalmente terminada, los cuatro sonrieron satisfechos.

—Bueno, ahora vamos a decirle a Telma que ya la hemos terminado —dijo Lira—. Nos dirá cuál va a ser su función.

Telma los recibió con una enorme sonrisa y, después de pedir a Ray y a Paula que llamaran a todos los aprendices, les dijo:

—Enhorabuena. Habéis hecho un magnífico trabajo y pronto vais a saber el motivo de tanto esfuerzo.

Esperaron la llegada del resto y, cuando ya estaban todos, Telma les dijo:

—Kumara y yo hemos pensado que, cuando os marchéis a vuestro planeta, nos gustaría poder comunicarnos con vosotros. Sabemos que aquí dejáis buenos amigos. Bueno, pues esta maqueta es para vosotros.

—¡Bieeen! —gritaron los aprendices de la Tierra.

En realidad, últimamente se preguntaban si volverían a ver a sus nuevos amigos o si, por lo menos, podrían comunicarse con ellos de alguna forma, a pesar de la enorme distancia que separaba los dos planetas.

Pero la maqueta también tenía otras funciones, y Kumara añadió:

–Vamos a incorporar un pequeño transmisor en su interior; así, cada vez que queramos comunicarnos con vosotros, se encenderá una luz en la maqueta indicando nuestra posición. De este modo podemos seguir en contacto a pesar de la distancia, y podréis llamarnos cuando necesitéis nuestra ayuda. ¿Qué os parece?

–Pero además tiene otra función –añadió Telma–. Todo lo que pongáis sobre ella quedará grabado mediante un sistema de microcámaras que vamos a incorporar, de modo que podáis enviarnos cualquier cosa.

Los aprendices se levantaron de sus asientos, entusiasmados por aquel regalo, y aplaudieron a rabiar.

–¿Y podemos intercambiar cosas? –preguntó Linda.

–Por supuesto –añadió Paula–. Keiko podrá enviar sus cuentos; Nadia, sus dibujos; Tomi, vídeos de los animales y plantas de nuestro planeta; Bao, los últimos bailes de moda, y así cada uno enviará lo que quiera compartir. ¿No es fantástico?

–Y podremos hablar con nuestros amigos... –dijo Luca, emocionado, mirando a Lira.

Cuando acabó la reunión, se notaba una gran alegría en el ambiente y todos charlaban sin parar. Los aprendices de la Tierra estaban felices de poder seguir en contacto con sus compañeros de Pegasus, a los que ya consideraban amigos.

Ficha para padres

Si queréis que vuestro hijo desarrolle la inteligencia espacial, debéis tener en cuenta los siguientes aspectos:

Animadle a dibujar y a expresar de forma gráfica cualquier tema.

Enseñadle juegos como el ajedrez, las damas, el tangram, rompecabezas, puzles y juegos de construcción adaptados a su edad.

Desarrollad con él ejercicios de pensamiento visual y enseñadle un lenguaje de signos que sea un código entre vosotros.

Ayudadle a poner en una gráfica en colores las cosas que va aprendiendo.

Aprovechad cualquier ocasión para disfrutar de visitas a museos, galerías de arte, observación de maquetas, etc.

Animadle a que haga fotografías, a modelar en barro o a realizar cualquier actividad que le exija manejar el espacio, como bailar o hacer deporte.

Potenciad su imaginación pidiéndole que visualice, por ejemplo, un cuento que le estáis contando, o que se imagine un lugar que nunca ha visitado...

También podéis hacer lo siguiente:

Después de leer *La gran comilona*, pedidle que dibuje un plato de comida que le guste mucho. ¿Qué platos le hubiera pedido al ordenador de haber estado con los aprendices? ¿Cómo se imagina que será la comida en Olaris? Puede dibujarla.

Podéis darle revistas que no vayáis a usar y pedirle que elija fotografías que le gusten; las puede cortar en trozos y jugar luego a completar la foto.

Pedidle que construya un móvil para su cuarto recortando fotografías bonitas y pegándolas sobre cartulina, o con dibujos que haya hecho él mismo.

Después de leer *Un regalo para todos*, pedidle que invente otros aparatos que puedan ponerse dentro de la maqueta. ¿Qué le parece el regalo? ¿Para qué más cosas puede servir?

Haced juntos un plano de vuestra ciudad o barrio y situad en él vuestra casa. También la podéis buscar en Google Earth para que vuestro hijo vea cómo se ve desde el espacio.

Pedidle que dibuje todos los personajes que aparecen en el cuento, que haga un póster con ellos y lo ponga en su habitación.

Proponedle hacer en plastilina la nave en la que viajaron a Pegasus los aprendices de la Tierra.

❧ *Inteligencia corporal-cinestésica* ❧

Es la capacidad para utilizar el propio cuerpo, total o parcialmente, en la solución de problemas, en la interpretación o en la creación de productos, en la expresión de ideas y sentimientos. Puede ser descrita también como una inteligencia tecnológica. Incluye habilidades de coordinación, destreza, equilibrio, flexibilidad, fuerza y velocidad, así como la capacidad cenestésica, la percepción de medidas y volúmenes y la manipulación de objetos.

Esta inteligencia está muy presente en las personas que destacan en actividades deportivas, danza, expresión corporal y/o en trabajos de construcciones utilizando diversos materiales.
También en aquellos que son hábiles en la ejecución de instrumentos. Involucra la destreza muscular, tanto la gruesa como la fina, es decir, de manos y pies.

Los niños que poseen este tipo de inteligencia aprenden mejor moviéndose, actuando, usando sus sentidos, participando.
Es su medio preferido de interiorizar la información. Sus procesos de conocimiento del mundo se dan a través del cuerpo, que usan como una forma de conectarse con el entorno. Les encanta correr, saltar, tocar, hacer teatro, gesticular, bailar, practicar deportes y hacer construcciones.

Pueden utilizar el cuerpo para expresar emociones (danza, música o teatro), para competir (deporte) o para crear (artes plásticas, artesanías y oficios).

Profesiones en las que está presente: atletas, cirujanos, entrenadores, profesores de educación física, bailarines, actores, políticos, instrumentistas, maquetistas, escultores, albañiles, mecánicos, mimos, payasos, carpinteros, deportistas y artesanos.

❧ *Bao aprende a volar* ❧

Quedaba poco tiempo para volver a la Tierra, pero Bao no quería marcharse sin probar aquella "mochila voladora" que descubrió un día por casualidad.

Recordaba el susto que se llevó una tarde cuando, cerca del lugar donde corría, aterrizó un chico de Pegasus.

—Oh, lo siento. No quería asustarte, pero es mi primer vuelo y aún no sé manejar bien el equipo —le dijo.

—Así que podéis volar —dijo Bao, emocionado.

—Sí, pero es bastante complicado. Además, me he desviado del lugar de aterrizaje. ¿Y ahora qué voy a hacer? Seguro que me están buscando.

—No te preocupes, mis profesores dicen que es normal cometer errores cuando estás aprendiendo algo nuevo —dijo Bao para tranquilizarle.

—Reconozco que se me da mejor pintar que volar —dijo el aprendiz—, pero es necesario aprender a manejar bien este equipo, sobre todo para viajes cortos. Las naves se usan solo para viajes largos y en grupo.

Bao, después de despedirse, tomó la decisión de no irse de Pegasus sin probar aquel aparato, así que en cuanto vio a Telma le preguntó si podían prestarle un equipo de vuelo.

—Puedes pedirle a Antala que te enseñe; a ella se le da muy bien volar, pero no creas que es sencillo de manejar, Bao. Es difícil mantenerte derecho, y te aseguro que no es nada agradable aterrizar de cabeza.

Telma se rio, pero a Bao no le importaba correr ese riesgo: era un buen deportista y seguro que podría aprender con rapidez. Por eso se sintió un poco decepcionado cuando habló con Antala y esta le dijo:

–Puede ser peligroso, Bao; una cosa es hacer deporte y saber bailar y otra, muy diferente, volar. Además, se necesita entrenamiento, y tú te vas mañana a la Tierra.

–Pues precisamente por eso debes enseñarme: es mi sueño. Antala, por favor...

Y tanto insistió Bao que la convenció, así que una hora después ya se había puesto su mochila voladora para recibir su primera clase.

–Mira –le señaló Antala–: esta palanca de la derecha es para ascender, esta de la izquierda es para acelerar y este botón verde sirve para aterrizar.

Bao movió la palanca derecha y vio cómo el suelo se alejaba.

–¡Estoy volando! ¡Vuelo como los pájaros!

Pero poco le duró la emoción, pues de repente comenzó a inclinarse de forma peligrosa.

–¡Socorro, Antala! ¿Y ahora qué hago?

–¡Procura mantenerte derecho! –le gritó ella.

Entonces Bao, como estaba nervioso, le dio a la palanca equivocada y salió volando a toda velocidad hasta que dejó de ver a Antala y los edificios de Olaris. Por un momento pensó en apretar el botón verde, pero ¿cómo iba a aterrizar en un lugar desconocido y tan alejado de la ciudad? Menos mal que era bastante hábil y consiguió girar su cuerpo y volar en dirección contraria hasta que vio de nuevo la ciudad.

Ahora solo tenía que bajar y buscar a Antala, pero no hizo falta porque ella se acercó a él y le dijo:

—¡Sígueme, Bao, vamos a aterrizar! ¡Pulsa el botón verde!

Hizo lo que le decía, pero en cuanto lo apretó perdió el equilibrio y se puso cabeza abajo.

¡Con lo sencillo que parecía volar! Estaba claro que él no era un pájaro, y aquello de volar tenía sus trucos. Lo intentó varias veces, pero no conseguía ponerse derecho y recordaba lo que Telma le había dicho.

Antala, desde el suelo, le gritaba:

—¡Bien, así se hace, Bao! ¡Eres un atleta del aire! ¡Venga, haz otra cabriola!

Lo que ella no sabía era que las cabriolas eran involuntarias y, cuando al fin aterrizó, Bao se fue corriendo a vomitar.

—No te preocupes; es normal. La primera vez yo también me mareé, pero me han encantado tus piruetas en el aire. ¡Eres genial!

—¿Piruetas? Es que no podía manejar bien los mandos; no sabes el miedo que he pasado. ¿Así que pensabas que lo hacía a propósito?

Antala empezó a reírse a carcajadas. Y pensar que ella le había aplaudido creyendo que quería impresionarla...

—¿No querías volar como los pájaros? Pues ya lo has hecho, y espero que se lo cuentes a tus amigos de la Tierra.

—Oye, Antala, ¿no podría llevarme una de estas mochilas voladoras? Así podría seguir entrenando, y seguro que todos me iban a envidiar.

—¿Qué es envidiar? —le preguntó Antala, sorprendida.

—Pues desear tener lo que otro tiene... Por ejemplo, una mochila voladora.

—¡Ah, bueno! ¡Como me pasa a mí con Vega! Yo envidio cómo canta, pero claro, ya sabemos que a todos no se nos dan bien las mismas cosas.

Siguieron hablando un buen rato mientras se dirigían al lugar donde debían devolver los equipos, y allí reencontraron a Telma.

—Bueno, Bao, ya has hecho tu primer vuelo. ¿Cómo te sientes?

—Bastante mareado, y tenías toda la razón: volar no es tan sencillo; por eso me gustaría seguir entrenando. La pena es que mañana regresamos a la Tierra, y allí no existen estos equipos...

Bao miraba a su amiga para que ella dijera algo, pero Telma se adelantó y le dijo:

—Te gustaría llevarte uno de estos equipos a la Tierra, lo sé, pero creo que es mejor que entre Luca y tú montéis uno. Ahora ya sabes cómo son, y antes de irte os podemos explicar cómo hacerlo, ¿de acuerdo?

—Bueno... —suspiró Bao—, si nos ayudáis...

—Por supuesto, y si algo no sale bien, ya os daremos algún consejo, no te preocupes —añadió Telma para darle ánimos.

Los tres tomaron el camino de regreso a la ciudad pues Bao y Antala tenían ensayo para la fiesta de despedida que estaban organizando.

—¿Qué vais a hacer para la fiesta? —les preguntó Telma antes de despedirse.

—Es secreto, no podemos contarlo —respondió Bao.

—Está bien, pero ahora volved con vuestros compañeros y disfrutad de los ensayos, aunque yo no sé nada de una fiesta, ¿eh? —dijo Telma mientras les guiñaba un ojo.

Antes de marcharse, Antala le preguntó:

—Bao, ¿te gustaría entrar en nuestro grupo? Necesitamos uno más para hacer el número.

—Bueno, primero tendré que hablar con mis compañeros; a lo mejor no les importa, pero ¿qué vais a hacer?

—Vamos a volar en el escenario, pero no se lo digas a nadie, es un secreto.

—¡Entonces, contad conmigo!

Atardecía en Pegasus, pero nadie miraba las dos lunas que salían por el horizonte. La fiesta de despedida se acercaba y todos tenían que ensayar.

⤚ *La fiesta de despedida* ⤚

Había cierta tristeza en el ambiente, pues el viaje llegaba a su fin y a los aprendices les daba pena no volver a verse.

Lucía caminaba cabizbaja cuando se encontró con Paula.

—¿Qué te pasa, Lucía? Te veo un poco triste.

—Es que voy a echar de menos a mis amigos de Pegasus, sobre todo a Kantor, a Luna y a Fénix.

—Pero ya sabes que a través del intercomunicador de la maqueta podremos estar en contacto con ellos.

—Eso no es lo mismo, Paula. Además, tenemos algunos secretos. ¿Cómo vamos a hablar delante de todos?

Paula intentó animar a Lucía y le dijo al oído:

—Ya sabes que hay ensayo, así que piensa solo en eso y procura pasarlo bien.

Lucía, un poco más animada, se encontró con su grupo, en el que estaban Kantor, Nacho, Tomi, Naga, Luna, Nadia y Fénix, y buscaron una sala para preparar su actuación. Cerca de allí, Luca, Lira, Linda y Artur, acompañados por RITA, organizaban la presentación de su invento. Sirio, Antala, Kamal, Vega, Bao y Keiko se habían reunido en el jardín, pues su número era muy especial y necesitaban un espacio abierto para ensayar.

Esa noche cenaron antes de la hora habitual para tener un tiempo de encuentro y despedida, pues a la mañana siguiente los aprendices de la Tierra volverían a casa.

Las caras de todos mostraban un cansancio comprensible y, a la vez, todos parecían nerviosos por su inminente actuación.

—Bueno —dijo Kumara cuando terminaron de cenar—, hoy es la última noche juntos y por eso tenemos una sorpresa para vosotros.

—Y nosotros también tenemos una sorpresa para vosotros —dijo Linda con voz misteriosa.

—¿Ah, sí? Qué callado lo teníais —dijo Ray mientras miraba a Paula—. ¿Tú sabías algo?

Y Paula, guiñando un ojo a sus aprendices, le contestó:

—Un pajarito de Olaris me dijo algo de una fiesta, pero no tengo ni idea de en qué va a consistir.

Se oyó un murmullo por todo el comedor y Telma dijo:

—Vamos al escenario del centro de arte. Es mejor que vosotros empecéis la fiesta, y nosotros os daremos la sorpresa como broche final.

Cuando llegaron, el salón estaba decorado para una noche especial, lleno de globos de colores y guirnaldas de flores. Se apagaron las luces y dio comienzo la fiesta.

Una suave música empezó a sonar mientras Sirio, Antala, Kamal, Vega, Bao y Keiko salían al escenario vestidos con monos de colores fluorescentes que iluminaban la sala, y para darles la bienvenida sonó un gran aplauso. Keiko se adelantó y dijo:

—Esta es la historia de un grupo de pájaros que quieren llegar volando hasta las estrellas.

Vega y Kamal tocaban los instrumentos y Keiko iba contando la historia de aquellos pájaros, que un día salieron de su entorno habitual para aventurarse en un territorio desconocido: el país de las estrellas. Cuando dijo la última palabra, tres estrellas luminosas aparecieron y se quedaron colgando del techo. Entonces Sirio, Antala y Bao comenzaron a mover sus brazos como si fueran las alas de los pájaros y, para sorpresa de los aprendices de la Tierra, se elevaron del suelo, mientras Keiko continuaba su relato.

De pronto, unos ladridos sorprendieron a todos y Keiko interrumpió la narración: Suan había subido al escenario y ladraba asustado, hasta que Linda se lo llevó de allí entre las risas de los espectadores.

Sobre el aire, los tres danzaban creando figuras, se cogían de las manos, luego de los pies, subían y bajaban suavemente y sus compañeros contenían la respiración al contemplar aquellos movimientos tan arriesgados. El final de su número llegó con los pájaros abrazados a las estrellas y un gran aplauso de todos los compañeros de Bao, que aún estaban sorprendidos de verlos volar.

Después les tocó salir a Tomi, Nadia, Luna, Naga, Nacho, Fénix, Kantor y Lucía. Fénix presentó su número:

–Vamos a hacer esculturas humanas y vosotros tenéis que descubrir qué representa cada una.

El juego les gustó mucho; primero fue una casa y casi todo el mundo lo descubrió; luego, un dinosaurio y tardaron un poco más en descubrirlo, y después paso algo inesperado: querían hacer una torre humana, pero Fénix, que estaba en la base sosteniendo a los demás, estornudó y cayeron unos sobre otros.

Telma subió corriendo al escenario y preguntó un poco asustada:

–¿Alguien se ha hecho daño?

Pero nadie contestó porque todos se reían y no podían ni levantarse del suelo.

–Lo siento, vamos a intentarlo de nuevo –dijo Fénix cuando consiguió ponerse serio.

Y a medida que se formaba la torre, todos contenían la respiración. Cuando Naga llegó a lo más alto sostenida por todos sus compañeros, estallaron los aplausos.

–Y por último, nuestro número –dijo Linda.

Del techo bajó una enorme pantalla mientras RITA se colocaba frente a ella y Artur, Luca y Lira subían al escenario.

—Necesitamos vuestra colaboración –dijo Artur–. ¿Quién se ofrece como voluntario?

Kamal se acercó a ellos y le preguntaron:

–¿Quieres saber cuál sería tu aspecto si hubieras nacido en otro planeta?

–Pues sí, pero ¿qué tengo que hacer? –preguntó, sorprendido.

–Nada, solo tienes que elegir el planeta que quieras del panel que te enseñe RITA.

Kamal puso el dedo sobre el planeta Talis y, en ese momento, en la pantalla se proyectó una extraña figura que hizo reír a todos.

–No me imaginaba que pudiera tener ese aspecto –dijo Kamal.

–¿Alguien más quiere probar el programa inventado por Lira, Luca y RITA?

Un montón de manos se alzaron, entusiastas, y al final todos pudieron probar el invento y se quedaron muy sorprendidos al ver el resultado. ¡Cuántos aspectos diferentes!, ¡cuántos rostros extraños!, pensaban mientras se proyectaban en la pantalla.

Cuando terminó la fiesta, Telma, Paula, Ray y Kumara les dieron a todos la enhorabuena, pero aún quedaba una cosa importante y Kumara pidió la palabra.

—Estamos muy contentos de haber convivido con vosotros estos días, aprendices de la Tierra, y pensamos que nuestra amistad no puede terminar aquí. Y ahora viene nuestra sorpresa: hemos decidido devolveros la visita.

—¡Biiieeen! —gritaron todos, entusiasmados, dando un brinco en sus asientos.

Eso sí que nadie se lo esperaba, ni siquiera Paula y Ray. ¿Cómo no les habían dicho nada?

—La sorpresa era también para vosotros, queridos amigos. ¿Qué os parece? —les dijo Kumara, muy sonriente.

—¡Maravilloso! En cuanto regresemos a la Tierra, empezaremos a preparar vuestro viaje —dijo Paula, emocionada.

Aquella noche tardaron bastante en dormirse. Había sido un día de muchas emociones y sorpresas, pero el cansancio pudo más y, al final, cayeron rendidos en sus camas, soñando con su próximo reencuentro.

Ficha para padres

Si queréis que vuestro hijo desarrolle la inteligencia corporal-cinestésica, debéis tener en cuenta los siguientes aspectos:

Animadle a que se disfrace, haga teatro o desarrolle alguna actividad deportiva o artística.

Enseñadle a usar su cuerpo y sus gestos para expresar emociones y sentimientos.

Cuando penséis en juegos para él, priorizad aquellos en los que tenga que usar las manos para modelar, construir, crear cualquier objeto o mover su cuerpo.

Buscad algún momento del día para hacer ejercicios de relajación todos juntos.

Utilizad las salidas al parque o al campo para que haga ejercicio, corra, salte, se tire por un tobogán, monte en los columpios...

Si le gusta la música, ofrecedle la oportunidad de aprender a tocar algún instrumento musical.

Permitid que tenga un espacio en casa donde pueda moverse con libertad y manipular todo tipo de materiales adecuados a su edad.

También podéis hacer lo siguiente:

Después de leer el cuento *Bao aprende a volar*, comentad qué hubiera pasado si Bao no consigue volver a Olaris. Intentad que el niño continúe el cuento.

Proponedle un juego: vosotros decís un número y él tiene que dar tantos saltos como represente el número. Primero con los dos pies, luego a la pata coja, luego levantando también los brazos, luego tocándose la nariz mientras está saltando...

Pedidle que dibuje a Bao volando con su mochila voladora. ¿Le gustaría a él tener una mochila parecida? ¿Para qué? ¿Adónde le gustaría ir?

Después de leer *La fiesta de despedida*, podéis pedirle que prepare un número sorpresa como si participase en la fiesta. Debe disfrazarse, maquillarse y, cuando lo tenga preparado, representarlo. Si son varios hermanos, pueden hacerlo entre todos.

Preguntadle en qué número le hubiera gustado participar. ¿Cree que se le da bien actuar? ¿Qué le hubiera resultado más fácil?

Enseñadle algún baile sencillo o inventar una coreografía sobre una música.

Jugad a hacer esculturas humanas con vuestros cuerpos. Alguien de la familia debe averiguar qué representa cada escultura. Luego podéis cambiar los papeles. Si todos participáis, será más divertido.

Bibliografía

HOWARD GARDNER

 *La inteligencia reformulada.* Ediciones Paidós, Barcelona, 2010

 *Inteligencias múltiples.* Ediciones Paidós, Barcelona, 2011

 *La educación de la mente y el conocimiento de las disciplinas.* Ediciones Paidós, Barcelona, 2011

 *Verdad, belleza y bondad reformuladas.* Ediciones Paidós, Barcelona, 2011

Índice